강력한 아주대 인문계 논술

기출문제

저자 소개

저자 김근현은 현재 탁트인 교육, 일으킨 바람, 에듀코어 대표이다.
前 메가스터디 온라인에서 대입 논술과 면접, 자기소개서, 학생부종합 등 다양한 동영상 강의를 하였다.
현재는 학습 프로그램 개발 및 연구 활동을 통해 교육의 발전을 고민하고 있다.

강력한 아주대 인문계 논술 기출 문제

발   행 | 2023년 09월 27일
개정판 | 2024년 07월 05일
저   자 | 김근현
펴낸이 | 김근현
펴낸곳 | 일으킨 바람
출판사등록 | 2018.11.12.(제2018-000186호)
주   소 | 경기도 고양시 일산서구 하이파크 3로 61 409동 1503호
전   화 | 031-713-7925
이메일 | ileukinbaram@gmail.com

ISBN | 979-11-93208-85-4

www.iluekinbaram.com

강력한

아주대 인문계

논술 기출문제

김 근 현 지음

차례

I. 아주대학교 논술 전형 분석 ·· 6

II. 기출문제 분석 ·· 11

III. 논술이란? ·· 14

IV. 인문계 논술 실전 ··· 18

V. 아주대학교 기출 ·· 21
   1. 2024학년도 아주대 수시 논술 ·· 21
   2. 2024학년도 아주대 모의 논술 ·· 32
   3. 2023학년도 아주대 수시 논술 ·· 42
   4. 2023학년도 아주대 모의 논술 ·· 53
   5. 2022학년도 아주대 수시 논술 ·· 64
   6. 2022학년도 아주대 모의 논술 ·· 75
   7. 2021학년도 아주대 수시 논술 (오전) ································· 85
   8. 2021학년도 아주대 수시 논술 (오후) ································· 95
   9. 2021학년도 아주대 모의 논술 ·· 105
   10. 2020학년도 아주대 수시 논술 ·· 115
VI. 예시 답안 ··· 124
   1. 2024학년도 아주대 수시 논술 ·· 124
   2. 2024학년도 아주대 모의 논술 ·· 125
   3. 2023학년도 아주대 수시 논술 ·· 127
   4. 2023학년도 아주대 모의 논술 ·· 129
   5. 2022학년도 아주대 수시 논술 ·· 131
   6. 2022학년도 아주대 모의 논술 ·· 133
   7. 2021학년도 아주대 수시 논술 (오전) ································· 135
   8. 2021학년도 아주대 수시 논술 (오후) ································· 137
   9. 2021학년도 아주대 모의 논술 ·· 139
   10. 2020학년도 아주대 수시 논술 ·· 141

머리말

 책을 쓰기 위해 책상에 앉으면 아쉬움과 안타까움, 나의 게으름에 늘 한숨을 먼저 쉰
다.
왜 지금 쓸까?
왜 지금에서야 이 내용을 쓸까?
왜 지금까지 뭐했니?
스스로 자책을 한다.

또 애절함도 함께 느낀다.
시험이 코앞에서야 급한 마음에 달려오는
수험생들에게 왜 미리 제대로 준비된 걸 챙겨주지 못했을까?
그렇게 하루, 한 달, 일 년 그렇게 몇 해가 지나 이제야 조금 마음의 짐을 내려놓는다.

입에 단내 가득하도록 학생들에게 강의를 했고,
코앞에 다가온 연속된 수험생의 긴장감을 함께하다보면
그렇게 바쁘게 초조하게 지냈던 것 같다.

그렇게 함께했던 시간을 알기에
부족하겠지만
부디 이 책으로 수험생들이 부족한 일부를 채울 수 있고,
한 걸음이라도 희망하는 꿈을 향해 다갈 수 있길 간절히 바래 본다.

김 근 현

I. 아주대학교 논술 전형 분석

1. 논술 전형 분석

1) 전형 요소별 반영 비율

전형요소	논술	학생부교과	총합
논술고사	80%	20%	100%

2) 학생부 교과 반영

20%

(ㄱ) 반영교과 및 반영비율

- 계열 구분 없이 국어, 수학, 영어, 사회, 과학 교과(편제) 반영
- 학년별 가중치 없음, 교과별 가중치 없음

※ 한국사는 포함하지 않음

대 상	인정범위	반영 교과
졸업(예정)자	1학년 1학기 ～ 3학년 1학기	국어, 영어, 수학, 과학, 사회

(ㄴ) 인정범위 및 반영비율: 전형별 학생부 반영비율의 100%(기본점수 없음)

구분	등급	1등급	2등급	3등급	4등급	5등급	6등급	7등급	8등급	9등급
	성취도	A		B		C				
등급점수		100	99	98	95	90	85	75	65	0

3) 내신 반병 방법

(ㄱ) 총점 환산 방법

$$총점(100점) = \frac{\sum(교과별\ 평균등급점수)}{반영\ 교과\ 수}$$

(ㄴ) 평균 등급점수 산출방법

$$교과별\ 평균등급\ 점수 = \frac{\sum(과목별\ 이수단위 \times 등급점수)}{\sum(과목별\ 이수단위)}$$

4) 수능 최저학력 기준

없음(의학과,약학과 제외)

5) 논술 전형 결과

(ㄱ)   2024학년도 논술 전형 결과

모집단위	모집 인원	충원 합격	경쟁률	학생부 등급평균			논술 점수			70% cut	
				최저	평균	최고	최저	평균	최고	논술 점수	등급
경영학과	16	2	93.3 : 1	5.76	4.35	3.07	81.5	84.3	91.0	82.50	3.71
국어국문학과	5	1	78.4 : 1	6.04	4.28	3.38	82.5	86.7	89.0	85.50	4.38
사회학과	5	0	82.4 : 1	7.30	5.01	3.56	79.5	81.4	82.0	81.50	4.26
정치외교학과	5	0	82.5 : 1	4.63	4.14	3.21	82.5	83.1	84.0	82.50	3.21
총계	7.75	3	84.15:1	5.93	4.45	3.31	81.50	83.88	86.50	83.00	3.89

(ㄴ)   2023학년도 논술 전형 결과

모집단위	모집 인원	충원 합격	최종 등록	경쟁률	최저	평균	최고	논술 평균
경영학과	16	2	16	90.3 : 1	5.86	4.49	3.30	81.6
국어국문학과	5	2	5	70.2 : 1	5.69	4.68	3.35	91.3
사회학과	5	0	4	72.6 : 1	5.71	4.95	4.37	85.3
정치외교학과	5	1	5	74 : 1	6.38	5.06	4.14	86.3
총계	7.75	5	7.50	76.78 : 1	5.91	4.80	3.79	86.13

(ㄷ)　2022학년도 논술 전형 결과

모집단위	모집인원	경쟁률	교과: 70%cut 종합: 100%cut	내신 평균	내신 최고	논술 평균
경영학과	16	78.9 : 1	6.49	4.65	2.87	80.9
국어국문학과	5	56.6 : 1	4.83	4.33	3.86	86.4
경제학과	6	62.3 : 1	4.39	3.80	3.01	81.1
심리학과	8	76.1 : 1	5.80	4.36	3.26	86.6
사회학과	5	60.6 : 1	4.42	3.97	3.60	89.8
정치외교학과	5	61.4 : 1	6.90	5.14	4.10	86.5
총계	45	65.98	5.47	4.38	3.45	85.22

(ㄷ)　2021학년도 논술 전형 결과

모집단위	모집인원	지원인원	경쟁률	충원합격예비번호	최종등록자 논술점수			최종등록자 학생부등급		
					최고	평균	최저	최고	평균	최저
경영학과	17	1002	58.94 : 1	1	83.5	75.7	71.5	2.82	4.51	6.08
금융공학과	10	275	27.5 : 1	7	68.5	58.4	48.5	2.76	4.63	7.19
국어국문학과	5	217	43.4 : 1	0	87.0	83.2	81.5	4.14	4.89	6.30
경제학과	6	272	45.33 : 1	3	90.5	86.3	83.0	2.67	4.14	5.39
심리학과	8	459	57.38 : 1	0	83.0	77.4	73.5	3.36	4.93	6.57
사회학과	5	242	48.4 : 1	0	88.0	83.3	80.5	5.38	5.50	5.60
정치외교학과	5	269	53.8 : 1	0	87.5	84.9	83.0	3.91	4.60	5.12
총계	56	2,736	48.9 : 1	-	84.0	78.5	74.5	3.6	4.7	6.0

2. 논술 분석

구분	인문계열
출제 근거	고교 교육과정 내 출제
출제 범위	국어, 독서, 문학, 통합사회, 한국사, 한국지리, 세계지리, 세계사, 동아시아사, 경제, 정치와 법, 사회·문화, 생활과 윤리, 윤리와 사상
논술유형	인문형,
문항 수	2문항 (문항별 세부문제 출제)
답안지 형식	문항별 글자수 제한, 원고지형 답안지
고사 시간	120분

1) 출제 구분 : 계열 구분

2) 출제 유형 :

- 요약형 문제 및 비교·대조형 문제(800자 내외),
- 통합형 문제(800자 내외)

3) 출제 경향 :

- 고교 교육과정을 정상적으로 이수한 수험생이라면 해결할 수 있는 수준의 문제 출제
- 요약형 혹은 비교·대조형 문제와 통합형 문제 출제
- 요약형 문제의 경우 수험생 본인의 의견을 더하지 않고 제시문에서 소주제문들을 간추려 한 편의 글이 되도록 요약하는 능력을 측정
- 비교·대조형 문제의 경우 제시문들의 주제나 논점을 중심으로 그 유사점·차이점을 한 편의 글이 되도록 기술하는 능력을 측정
- 통합형 문제의 경우 3~5개의 독립된 제시문들을 주고 그 지문들을 서로 연결하는 논리력과 통합적 사고력을 측정(제시문들은 인문/사회분야를 비롯한 범교과 과정에서 골고루 취함)
- 영어 제시문은 출제하지 않음

3. 출제 문항 수

구분	인문계
문항수	2문항 (문항별 세부문제 출제)

4. 시험 시간
  · **120분**

5. 논술 유의사항

－채점 항목은 크게 글의 내용면과 표현면으로 나뉨

1) 내용면

－각 문항별 질문에서 요구하는 사항에 대해 채점

<예 : 2022년 모의 논술>

[1-1] 두 제시문의 내용을 적절히 이해하고 결합함으로써, 유의미하고 타당한 해석에 이르는지를 평가－－－－－－－－－－－－－－－－－－－－－－－－－－－20점

① 심리 변화의 단계를 적절히 나누었는가? (5점)

② 우정의 세 가지 하위 유형(즐거움을 토대로 한 우정, 효용성을 토대로 한 우정, 고귀한 우정)을 충분히 활용하였는가? (8점)

③ 고귀한 우정의 비도구적 속성 또는 효용성을 토대로 한 우정의 도구적 속성을 적절히 파악하였는가? (예: 상부의 처벌이라는 불이익을 고려 = 도구적 / 불이익에 아랑곳하지 않고 그저 친구가 잘되기를 바라는 마음 = 비도구적 등) (7점)

[1-2] 자신의 견해를 밝히고, 그것에 대한 근거를 적절히 제시하는 능력을 평가－－－20점

① 온라인 의사소통에 관한 긍정적 전망 또는 부정적 전망에 관한 자신의 견해를 뚜렷이 펼쳤는가? (4점)

② 제시문 (가) 또는 (나)의 내용이나 키워드를 온라인 의사소통의 근거로 적절히 활용하였는가? (8점)

③ ②에서 활용한 부분이 본래 제시문의 핵심적 내용과 적절히 부합하는가? (3점)

④ 전반적으로 주장과 근거의 논리적 구도가 적절히 이루어져 있는가? (5점)

2) 표현면

－문항별 각각 글자수 제한 분량 부족 및 초과 시 감점
- 400자 기준 글자 100자 미만인 경우
- 400자 기준 글자 100자 초과인 경우

－답안 작성시 독해에 지장을 줄 정도의 맞춤법 오류가 발견된 경우 감점

<예 : 2022년 모의 논술>

문제 1-1, 1-2, 각 5점(상: 5, 중: 3, 하: 0)

① 어휘력: 적절한 어휘사용

② 문장력: 문법적인 문장 구사

③ 단락구성력: 문장과 문장 간의 긴밀한 연관성

II. 기출문제 분석

1. 출제 경향

학년도	교과목	질문 및 주제
2024학년도 수시 논술	국어, 문학	공감, 도덕성, 심리적 현실감
	통합사회	합리적 선택, 사익과 공익
2024학년도 모의 논술	국어, 문학	존중, 관계
	정치와 법	자료분석, 양극화, 단순다수제, 선택투표제
2023학년도 수시 논술	국어, 문학	소비, 옷, 자연, 재활용
	통합사회	합리적 선택, 사익과 공익
2023학년도 모의 논술	국어, 문학, 독서	교육, 인공지능 시대
	통합사회	실험연구, 과대 추정, 과소 추정,
2022학년도 수시 논술	국어, 문학, 독서	고향, 공간, 장소, 가상 공간
	정치와 법	정치참여, 선거
2022학년도 모의 논술	국어, 문학, 독서	이념, 우정, 온라인 의사소통의 양면성
	통합사회	개인의 이익, 공공의 이익,
2021학년도 수시 논술	국어, 문학, 독서	경쟁, 협력
	정치와 법	지역주의 투표, 이념적 구성, 차별적 지지
2021학년도 모의 논술	국어, 문학, 독서	공동체, 소속감, 고립감
	통합사회	자료분석, 집합자료, 세부자료 관찰 결과
2020학년도 수시 논술	문학, 독서와 문법	감시, 전자사회, 판옵티콘, 역감시, 전자감시사회
	독서와 문법	정부형태, 대통령제, 의원내각제, 정당체제, 권력분산

2. 출제 의도

학년도	출제의도
2024학년도 수시 논술	[문제 1]에서는 인문사회계열 학생들에게 기본적으로 요구되는 통합적, 비판적 사고 능력을 확인하고 그것을 논리적으로 설명하는 능력을 확인하고자 했다. 세부적으로 다음 두 가지 사항에 주안점을 두었다. 첫째, 문학 작품에서 부모와 자식의 관계가 원만치 못한 상황을 제시하여 그 문제 상황에 대한 기본적인 이해 능력과 표현 능력을 점검하고, 그 상황을 공감 부족의 상황으로 연계하는 통합적인 사고를 측정하고자 했다. 둘째, 오늘날 가상현실 기술이 공감의 효과를 내기 위해 활용된다는 제시문, 그리고 공감의 효과가 도덕과는 무관한 비도덕적인 측면도 있다는 제시문을 제시하고, 두 제시문을 비교 대조함으로써 통합적이고 비판적인 사고 능력을 측정하고자 했다.
	선거제도(단순다수제, 비례대표제, 병립형, 연동형, 준연동형)의 후보 선발방식과 의석 배분 방식에 대한 설명에 대한 독해 능력을 평가하고 선거 제도의 특성을 비교 분석할 수 있는 능력 및 선거제도에 대한 이해를 한국의 현실 정치에 응용할 수 있는 능력을 평가한다.
2023학년도 수시 논술	평범한 일상 속에서 검소한 생활의 미덕을 주제로 한 수필과 과도한 소비 생활을 비판하고 지구적 차원에서 환경 보호를 해야 한다고 주장하는 수필을 제시하여 올바른 소비에 관하여 생각해보게 하였으며, 대량으로 옷을 생산하고 대량으로 소비하는 패션 업계의 현황에 관한 글을 제시함으로써 문제점을 지적하고 해결책을 생각해보게 하였다.
	죄수의 번민 게임과 사슴사냥 게임에서 발생하는 결과의 차이를 인식하고, 이러한 차이가 발생하는 이유를 분석적으로 파악할 수 있는 능력 평가하기 위해 설계되었다. 두 게임이 적용되는 사례로 사교육을 예시로 제시하여 실생활에서 발생하는 사례를 두 게임을 통해 이론적으로 이해할 수 있는 능력을 평가하였다.
2022학년도 수시 논술	통합적, 비판적 사고 능력을 확인하고 아울러 그것을 논리적으로 설명하는 능력을 확인하기 위해 설계되었다. 이를 위하여 일제 강점기를 배경으로 고향의 상실을 주제로 한 소설 작품과 고향에 관한 문화 인류학적 의미를 고찰한 글을 제시하고, 앞으로 펼쳐질 디지털 시대에서 전통적인 고향에 대한 의미가 변할 것이라고 예측하는 글을 제시하였다.

학년도	출제의도
	(가)와 (나)에서 제시된 유권자 정치적 태도 및 선거경쟁에 대한 두 이론의 핵심적 차이를 파악하는 능력을 평가하였다. 동시에 이 두 이론을 (다)의 실험 연구 결과를 통해 비교 분석하는 능력을 평가하였고, (라)의 지역주의 투표이론과 (가)와 (나)의 두 선거이론과의 연관성을 파악할 수 있는 능력을 평가하였다.
2021학년도 수시 논술	오늘날 우리 사회에서 중요한 문제 가운데 하나인 '경쟁'을 주제로 하여, 경쟁의 폐해를 설명하는 제시문과 반대로 협동의 미덕을 보여주는 문학작품, 그리고 협력과 경쟁에 대한 새로운 관점을 촉구하는 제시문을 자료로 제시하였다. 경쟁에 대한 두 가지 상반된 방법을 비교하여 경쟁과 협력의 상황의 요소를 적절하게 파악하는지 확인하고자 하였으며, 앞선 경쟁 상황의 문제점을 지적하고 이에 대한 해결책을 제시해보도록 하였다.
	지역주의 투표에 대한 제시문의 핵심적인 문제점을 정확히 파악하고, 제시문의 내용을 현실정치 이해에 적용할 수 있는 능력을 평가하였다. 제시문의 내용의 핵심을 파악하는가를 평가하기 위해, 피상적인 현상과 현상 이면에 작동하고 있는 본질과의 차이를 경험 자료를 통해 구분할 수 있는가를 평가하였다. 제시문에서 피상적인 관찰에 근거한 두 신문기사 내용과 지역주의 투표의 작동원리에 대한 이론적 설명을 제시하고 후자를 통해 전자들을 비판적으로 검토할 수 있는가를 평가하였다.
2020학년도 수시 논술	현대 사회의 가장 중요한 문제의 하나인 '감시'를 주제로 하여, 개념을 설명하는 고전 지문과 그 적용을 보여주는 제시문 및 문학 작품을 자료로 제시하였다. 제시문에서 먼저 개념을 설명하여 전체 문제의 흐름을 파악하도록 했고, 이를 다른 문학작품에 적용하여 설명하는 가운데, 고전 지문에 대한 이해 내용을 활용할 수 있게 하였다.
	정부형태의 차이에 대한 제시문의 핵심적인 문제점을 정확히 파악하고, 제시문의 내용을 현실정치에 적용할 수 있는 능력을 평가하였다. 제시문의 내용의 핵심을 파악하는가를 평가하기 위해, 대통령제와 의원내각제에서 행정부-입법부 관계의 차이가 권력집중과 어떻게 연관되어 있는가를 상호해산 가능성 및 제도적 거부권 행사자와 정파적 거부권 행사자라는 개념을 통해 이해하고 있는가를 평가하였다. 제시문의 내용을 현실 정치에 적용할 수 있는 능력을 평가하기 위해, 대통령제와 의원내각제 정부형태의 차이에 대한 이론적인 이해를 양당 대통령제에서의 권력집중 문제해결을 위한 적절한 해법을 추론할 수 있는가를 평가하였다.

III. 논술이란?

1. 논술이란?

1) 논술이란?

어떤 문제에 대해 자기 나름의 주장이나 견해를 내세운 다음, 여러 가지 근거를 제시하여 그 주장이나 견해가 옳음을 증명하는 글쓰기 활동을 말한다. 따라서 논술의 가장 기본적인 요소는 주장과 근거이다. 다시 말해 어떤 주제에 관해서 자신의 견해를 밝히고 자기 의견을 내세우는 글이 바로 논술이다. 때문에 논술은 특별히 논리적이어야 한다는 요구를 받게 된다. 왜냐하면 여러 가지 의견이 있을 수 있는 문제에 대해 자신의 의견을 세워 다른 사람을 설득하려면, 그 주장이 충분한 근거 위에서 논리적으로 개진될 때만 가능하기 때문이다.

2) 대한민국 논술고사는?

한국에서의 대학 입시 논술고사는 실제 교과 과정과 교과서가 기본이 되어 응용된 사고와 풀이 능력과 지식을 바탕으로 한다. 논술고사는 일반적을 비판적으로 글을 읽는 능력과 창의적으로 문제를 설정하고 해결하는 능력 그리고 논리적으로 서술하는 능력을 종합적으로 평가하는 시험이다. 비판적으로 글을 읽는다는 것은 능동적으로 자신의 관점에서 글을 읽는 것을 말하며, 창의적으로 문제를 설정하고 해결하는 능력이란 심층적이고 다각적으로 논제에 접근함으로써 독창적인 사고와 풀이를 이끌어낼 수 있는 능력을 말한다. 그리고 논리적 서술 능력은 글 구성 능력, 근거 설정 능력, 표현 능력 등을 포괄한다.

3) 인문계 논술? 그리고 그 변화

모든 글은 일반적으로 3가지 종류로 나뉘어진다. 시, 소설 등 문학 작품과 같은 글쓰기인 창작적 글쓰기(creative writing)와 설명문이나 해설문의 글쓰기는 해명적 글쓰기(expository writing), 그리고 논설문의 글쓰기인 비판적 글쓰기(critical writing)가 있다. 이 글쓰기 중 대한민국의 대학입시에서 시행되고 있는 인문계 논술은 창작적 글쓰기는 포함되지 않는다. 새로운 문학 작품을 쓰는게 아니라 제시문을 읽고 내용을 구체화시켜 잘 설명하는 설명문의 형태가 있고, 주어진 문제에 대해 생각하고 깊이있는 주장을 피력하는 비판적 글쓰기도 있다.

2. 논술의 기본 용어

1) 논제 : 논술의 문제를 의미한다.

반드시 해결하고 접근하여야 할 논술 시험의 대상이다.

  (ㄱ)　중심 논제 : 채점할 때 가장 배점이 높으며, 핵심적으로 해결해야 할 논술의 문제

  (ㄴ)　세부 논제 : 큰 논제 속에 포함된 작은 문제, 각 단계별 채점의 기준이 되며 세부 채점 항목으로 필수 해결 항목이다.

2) 논거 : 논술에서 설명하고 주장하는 논리적인 근거 혹은 이유

3) 주장 : 수험생이 생각하고 채점자에게 알리고 싶은 생각

4) 제시문 : 보기 지문을 말한다.

 (ㄱ) 출제자가 논제 해결을 위해 보여주는 다양한 글

 (ㄴ) 각종 그래프, 도표, 그림 등

     자료가 정해져 있지는 않다. 하지만 고등학교 교과서를 가장 많이 인용하고, 고등학교 교과 과정으로 분석하고 판단할 수 있는 내용을 제시한다.

5) 개요 : 논제에 맞게 더 구체적으로는 세부 논제에 맞게 글의 진행 방향을 간략하게 정리하는 과정이다.

3. 논술의 명령어

논술고사 후 대학의 발표 자료를 보면 논술은 출제자의 의도에 부합하게 글을 써야 한다고 강조한다. 그런데 출제자의 의도를 파악하는 것은 자칫 상당히 모호하고 주관적인 것으로 판단하기 쉽다.

하지만 인문계 논술에서는 명령어가 한정되어 있다. 그 명령어들을 잘 익히고 의미를 파악한다면 훨씬 논술의 이해가 높아질 것이다. 또한 대학의 채점 기준에는 명령어의 요구 조건을 충족하는지를 평가한다. 그러므로 인문계 논술의 명령어는 수험생에게는 아주 기초적이지만 필수적이며 절대 잊지 말아야 할 중요한 핵심이다.

1) ~ 에 대해 논술하시오.

 ; 주장을 밝히고 근거를 제시한다.

2) ~ 에 대해 설명하시오.

 : 사실, 주장 등을 쉽게 풀어서 밝힌다.

> ● ~ 제시문 간의 관련성을 설명하시오.
> ● ~ 제시문의 논리적 타당성과 문제점을 설명하시오.
> ● ~ 제시문을 참고하여 주어진 자료의 특징을 설명하시오.
> ● ~ 제시문의 관점에서 왜 그런 현상이 생기는지 그 이유를 설명하시오.

3) ~ 의 비교하시오. 혹은 대조하시오.

 : 공통점과 차이점을 중심으로 설명한다.

> ● ~ 공통점과 차이점을 설명하시오.

4) ~ 을 분석하시오.

 : 주제를 구성요소로 나누고 각 부분의 의미와 상호관계를 밝힌다.

5) ~ 제시문과 주어진 자료를 참고하여 현상을 예측해 보시오.

 : 주어진 자료를 해석하고 자료로부터 얻을 수 있는 시간에 따른 변화나 자료의 발생 이유를 살핀다.

6) ~ 제시문의 문제점을 지적하고 그 문제점을 해결할 방법을 제시하시오.

 : 보통은 수학이나 과학의 역사에서 발생했던 여러 오류나 실험과정에서 나타난 문

제점을 가지고 있다. 또한 이론이나 실험, 학생의 실험보고서 등과 같이 확실한 오류가 있는 제시문을 주기도 한다. 분명히 문제점을 파악하여 답안에 서술하고 문제점이나 해결할 수 있는 방법 등을 명확히 하여야 한다.

● ~ 제시문의 관점에서 왜 그런 현상이 생기는지 그 원리를 설명하고 그런 현상을 예방할 수 있는 방안을 제시하시오.
● ~ 문제점을 지적하고 합리적 대안을 제안해 보시오.
● ~ 주어진 관점을 검증할 수 있는 방법을 논하시오.
● ~ 주어진 문제점을 해결할 수 있는 실험을 설계해 보시오.

---

7) 제시문의 관점에서 주장을 비판하시오.

: 어떤 주장의 타당성이나 가치 등을 평가한다.

4. 인문계 논술 글쓰기 유의사항

① 논제의 해결이 핵심이다. 출제자가 원하는 답을 써야 한다.

② 논제에 부합하는 글을 일관성 있게 써야 한다.

③ 한편의 글을 완성하여야 한다. 나열하거나 사례를 보여주는 것은 의미가 없다.

④ 제시문을 활용, 인용하는 것과 제시문을 그대로 옮겨 쓰는 것은 다르다. 적절하게 제시문의 내용을 사용하여 논제를 해결하여야 한다. 절대 제시문의 문장을 그대로 쓰면 안 된다. 금기사항이고 감점요인이다.

⑤ 부적절한 문장 즉, 비문을 만들지 말아야 한다. 주어와 서술어가 적절하게 있어 문장의 의미를 명확히 전달하여야 한다. 주어를 생략하거나 지시어를 과도하게 사용하면 문장의 의미가 모호해 진다.

⑥ 문장은 짧고 간결하게 써야 한다. 자신의 의견을 명확히 간결하고 효과적으로 밝혀야 한다.

5. 논술 확인 사항

① 시간의 제한이 시험이다. 논술 시험은 자유롭게 글을 쓴다고 생각하고 주어진 시간을 체크하지 않는 경우가 정말 많다. 대학별로 요구하는 시간에 알맞게 답안을 구성해야 한다.

② 문단의 구성, 맞춤법, 띄어쓰기 등을 무시하면 절대 안 된다. 글쓰기의 기본은 의미의 전달 과정임으로 효율적인 연습과 준비가 되어 있어야 한다.

③ 습관적으로 물어보는 의문문, 같이 할 것을 제안하는 청유형은 사용하지 않는 것이 좋다. 문법의 오류가 아니라 격을 떨어뜨리고 글을 단조롭고 어색한 글 전개가 될 가능성이 높다.

④ 500자 미만이면 서론에 해당하는 도입과정은 과감히 생략하고 바로 논점으로 들어간다.

⑤ 한국어에는 수동태가 없다. 그러나 워낙 영어 번역하며 많이 사용하다 보니 논술

답안에도 수험생들이 자주 사용한다. 문법에 맞는 효과적인 표현이 필요하다. 학생이 수험생이 대학의 논술 고사에 응시하고 답안지에 논술 답안을 쓰는 것이다. 대학의 논술 답안지가 수험생으로부터 답안으로 쓰여지는 것이 아니다.

⑥ 많은 수험생들은 착각을 한다. 논술을 멋진 글쓰기라고 생각해 감상적이거나 비유적인 표현도 많이 사용한다. 그런데 오히려 이러한 표현은 채점자가 수험생의 사고능력 파악이 힘들어지고, 오히려 논제 해결을 했는지 판단하는데 혼동을 준다. 또한 일상에서 사용하는 구어체도 사용하면 안 된다. 논술은 글쓰기에서 쓰는 조금 딱딱한 문어체를 사용하는 것이다.

⑦ 아무리 강조해도 글씨의 중요성은 지나치지 않을 것이다. 채점하는 교수님들의 한결같은 큰 애로점은 이해할 수 없는 학생의 글씨라고 한다. 글씨체를 갑자기 바꿀 수 없지만 타인이 알 수 있게 규칙적으로 줄을 맞춰 쓰고, 분량에 맞는 큰 글씨로, 흘려 쓰지 않는 정자체로 답안을 작성하여야 한다.

IV. 인문계 논술 실전

1. 각 대학별 논술 유의사항을 파악하라!

많은 대학에서 글자수 제한을 확인하여야 한다. 그래서 원고지 형이 많지만, 문항별 칸을 만들거나 밑줄 답안 형식도 있다. 논술 시험 시간은 각 대학별로 다양하다. 60분 즉, 한 시간을 시작으로 많게는 2시간까지 (120분)까지 다양하게 있다. 대학별로 준비해야 하는 중요한 이유이다. 답안을 작성하는 필기구도 다양하다. 연필(샤프펜)의 사용이 꾸준히 증가하지만 아직까지 검정색 볼펜이나 청색 볼펜으로 사용하는 학교도 많다. 주의할 것은 수정법이다. 수정은 학교에 따라 수정액, 수정테이프의 사용을 제한하는 경우도 있고 틀리면 두줄을 긋고 써야 하는 곳도 있다. 그러므로 각 대학별 특징을 파악하고, 미리 답안 작성 연습은 물론이고 작성할 때도 대학별로 금지하는 내용을 숙지하고 시험장에 가야 한다.

각 대학별 유의사항 사례

사례 1)

가. 답안은 한글로 작성하되, 글자수 제한은 없다.

나. 제목은 쓰지 말고 특별한 표시를 하지 말아야 한다.

다. 제시문 속의 문장을 그대로 쓰지 말아야 한다.

라. 반드시 본 대학교에서 지급한 필기구를 사용하여야 한다.

마. 수정할 부분이 있는 경우 수정도구를 사용하지 말고 원고지 교정법에 의하여 교정하여야 한다.

바. 본 대학교에서 지급한 필기구를 사용하지 않거나, 수정도구를 사용한 경우, 답안지에 특별한 표시를 한 경우, 또는 원고지의 일정분량 이상을 작성하지 않은 경우에는 감점 또는 0점 처리한다.

사례 2)

Ⅰ. 필요한 경우 한 개 또는 여러 개의 제시문을 선택하여 논의를 전개하고, 사용한 제시문은 꼭 참고문헌 형태로 표시하시오.

　　예) …[제시문 1-4].

　　예) …되며[제시문 2-4], …의 경우는 ~을 보여준다[제시문 2-1].

Ⅱ. [문제 1]부터 [문제 4]까지 문제 번호를 쓰고 순서대로 답하시오.

Ⅲ. 연필을 사용하지 말고, 흑색이나 청색 필기구를 사용하시오.

Ⅳ. 인적사항과 관련된 표현을 일절 쓰지 마시오.

Ⅴ. 문제당 배점은 동일함.

사례 3)

◇ 각 문제의 답안은 배부된 OMR 답안지에 표시된 문제지 번호에 맞춰 작성하시오.

◇ 각 문제마다 정해진 글자수(분량)는 띄어쓰기를 포함한 것이며, 정해진 분량에 미달하

거나 초과하면 감점 요인이 됩니다.
◇ 답안지의 수험번호는 반드시 컴퓨터용 수성 사인펜으로 표기하시오.
◇ 답안은 검정색 필기구로 작성하시오. (연필 사용 가능)
◇ 답안 수정시 원고지 교정법을 활용하시오. (수정 테이프 또는 연필지우개 사용 가능)
◇ 답안 내용 및 답안지 여백에는 성명, 수험번호 등 개인 신상과 관련된 어떤 내용, 불필요한 기표하면 감점 처리됩니다.

사례 4)
◆ 답안 작성 시 유의사항 ◆
□ 논술고사 시간은 90분이며, 답안의 자수 제한은 없습니다.
□ 1번 문항의 답은 답안지 1면에 작성해야 하고, 2번 문항의 답은 답안지 2면에 작성해야 합니다. 1, 2번을 바꾸어 작성하는 경우 모두 '0점 처리'됩니다.
□ 연습지는 별도로 제공하지 않습니다. 필요한 경우 문제지의 여백을 이용하시기 바랍니다.
□ 답안은 검정색 또는 파란색 펜으로만 작성하며 연필, 샤프는 사용할 수 없습니다.
□ 답안 수정은 수정할 부분에 두 줄로 긋거나 수정테이프(수정액은 사용 불가)를 사용해서 수정합니다.
□ 답안지에는 답 이외에 아무 표시도 해서는 안 됩니다.
□ 답안지 교체는 고사 시작 후 70분까지 가능하며, 그 이후는 교체가 불가합니다.

2. 제시문에 먼저 눈을 두지 말고 문제를 파악하라!!!

대학별 고사인 논술의 어려운 점은 시간의 제한이 있는 글쓰기 시험이라는 것이다. 자유롭게 잘 쓸 수 있는 내용일지라도 시간의 제한이 있으면 얘기가 달라진다. 특히 지금과 같이 각 대학별로 다양하게 등장하는 시험에 익숙하지 않은 수험생에게는 더 큰 부담으로 작용을 한다.

대학에서는 다양하게 제시문과 문제를 분포시킨다. 문제를 등장시키고 제시문이 등장하는 경우, 그림과 도표, 그래프 등과 같이 자료를 제시하고 제시문과 문제를 함께 등장시키는 경우, 제시문을 많이 등장시키고 마지막에 문제를 제시하는 경우 등... 이렇듯 다양한 문제에 시간의 적절한 활용은 대학별 고사의 실전에서는 당락을 결정하는 중요 요소이다.

이러한 실전적 논술에서 핵심은 바로 목적을 가지고 제시문의 읽기가 선행되어야 한다. 글 읽기의 핵심은 문제을 통해 논제를 구체적으로 파악하고 그 논제에 부합하게 제시문을 분석하는 것이다.

① 문제를 먼저 확인하라!! - 제시문을 읽고 문제를 보면 다시 긴 제시문을 또 읽어 시간을 낭비한다.
② 세부 논제 확인하라!! - 한 문제라도 그 문제 속에 다루는 논제는 여러 개가 될 수 있

다. 그 질문 내용을 파악하라. 그리고 요구한 논제에 맞게 글을 구성한다.
 ③ 전제적 요건 파악하라!! - 각 문제의 전제적 요건 및 글로 표현된 부연 설명 등이 중요한 키워드가 될 수 있다.

V. 아주대학교 기출

1. 2024학년도 아주대 수시 논술

[문제 1] 다음 제시문을 읽고 아래 문제에 답하시오

(가)

이듬해 삼월, 화욱은 열네 살이 된 맏아들 화춘, 열 살이 된 둘째 아들 화진 그리고 열아홉 살이 된 조카 성생과 함께 후원의 상춘정에서 봄날을 즐기다가 그들에게 시를 지어보라고 하였다. 모두가 시를 지어 올리니, 화욱이 먼저 조카 성생의 시를 읽고는 감탄하였다.

"침착하고 중후하고 온화하여 진실로 군자의 글이로구나."

다음에 화춘의 시를 읽었는데 화욱이 갑자기 화를 내면서 종이를 던져버렸다.

"어린 자식이 이리도 막돼먹었으니 우리 집안이 망할 징조다."

화춘은 놀라서 황급히 당 아래로 내려갔다. 성생이 말했다.

"갑작스럽게 시를 짓다 보면 잘못 지을 수도 있습니다. 흡족하지 않으실 수 있지만 그렇게까지 말씀하시다니요."

화욱이 말했다.

"아니다. 시를 잘 짓고 못 짓고를 탓하는 게 아니다. 경박함과 음탕함이 시에 가득하니, 이런 놈은 앞으로 집안을 어지럽힐 것이다."

그러더니 오래도록 미간을 찡그리며 언짢아했다. 그러다가 둘째 아들 화진이 쓴 시를 보고는 흐뭇하여 그 온화한 표정이 봄빛처럼 따스했다. (중간 생략) 화욱이 즐겨 보다가 성생에게 보여주었다. 성생은 두세 번 읊조리더니 자신도 모르게 무릎을 단정히 모으며 말했다.

"여유롭고도 아름다운 품이 당나라 초기 시의 율격이 있습니다. 또한 화려하면서도 맑고 굳세니 당나라 왕건이 지은 시와 비슷합니다. 재주가 이 정도면 더 이상 바랄 나위가 없겠습니다."

화욱은 다시 정색하고 화춘을 나무랐다.

"우리 집안은 대대로 충효와 법도가 전통이다. 오로지 바른 도로써 마음을 단속하여, 술 마시고 농담하는 자리에서도 음란하거나 예의에 어긋나는 말은 하지 않았다. 그런데 너는 니와 사촌 형 앞에서 조차 이처럼 어지럽고 방탕하니 참으로 경악할 일이다. 이후로는 마음을 고쳐먹고 행실을 닦으며 일거수일투족 모두 네 아우를 본받아 화씨 집안이 네 손에서 엎어지지 않게 해라."

화춘은 무안하고 창피했다. 그날 밤 어머니에게 말했다.

"제가 노느라고 학업을 소홀히 하였으니, 책망하시는 것도 당연합니다. 그렇지만 오늘 아버님께서는 지나치게 노여워하시면서 '화씨 집안이 네 손에서 망한다'고까지 하셨습니다. 자식으로서 어찌 마음이 상하지 않을 수 있겠습니까? 또 아버님께서는 저로 하여금 화진에게 무릎을 꿇고 매사에 배우라고 하시는데, 화진이 비록 재주가 유달리 뛰어나고 행실이 볼 만하다고는 해도 세상에 어떤 형이 아우에게 배운단 말입니까?"

이후로 화춘은 공연히 화진을 원망하면서 자나 깨나 이를 갈았다. 그러는 사이 한두 해가 지나갔다. 화춘은 날이 갈수록 행실이 사나워지고 말이 거칠어졌다.

-〈창선감의록〉-

(나)

내가 정의하는 공감은 타인의 고유한 경험을 이해하고 그에 맞게 반응할 줄 아는 능력이다. (중간 생략) 우리에게는 공감 능력이 있다. 타인의 감정에 자신을 실제로 이입하고 그들의 생각과 신념, 동기와 판단을 헤아림으로써 서로를 깊은 수준으로 이해할 수 있다는 뜻이다. 우리를 연결하는 끈으로서 공감은 우리가 행동하기 전에 먼저 생각하도록 돕고, 고통에 처한 사람에게 손을 내밀 수 있는 동기를 부여하며, 이성에 힘입어 정서적 균형을 찾도록 가르치고, 인간이 품을 수 있는 가장 높은 이상을 추구하도록 격려한다. 공감 능력이 없었다면 우리는 조각조각 부서진 원형질처럼 이 행성을 떠돌며 안녕이라는 인사도 없이 서로 부딪히고 튕겨 나가길 반복할 것이다. 깨어 있지만 무감각하고, 의식이 있지만 무신경하며, 감정이 차 있어도 그것을 이해하거나 그것에 영향을 주지도 못할 테니 말이다.

공감은 타인의 생각과 감정에 대한 우리 인식을 제고시킴으로써 우리가 어떻게 인생을 더욱 충만하게 살아갈 수 있는지 알려준다. (중간 생략) 타인과의 연결을 끊고, 자신의 필요에만 집중하며, 남을 쉽게 단죄하고 용서하려 하지 않는다면 우리 모두는 더욱 험난한 삶을 살아야만 할 것이다. 반대로 공감을 통해 자신 및 타인과의 관계를 돈독히 한다면 삶의 슬픔과 고통을 더욱 수월하게 견딜 수 있다. 공감에는 아무런 비용도 들지 않는다. 공감은 부자나 고학력자나 똑똑한 사람들의 전유물이 아닌 모든 이의 것이다. 또한 공감에는 남을 전염시키는 특징이 있기에 당신이 먼저 베풀면 열 배가 되어 돌아올 것이다.

-아서 P. 시아라미콜리, 캐서린 케첨-

(다)

제러미의 연구소에 존재하는 기술은 몇십 년 전에는 SF 속에만 존재했다. 그 기술은 흥미진진한 아이디어였지만, 극소수만 접할 수 있었고, 비싸고 실용성은 거의 없었다. 그러다 폭발적인 발전이 일어났다. 2014년에 페이스북은 오큘러스 VR을 약 20억 달러에 인수했다. 같은 시기에 10달러에서 300달러 사이의 저렴하고 다양한 휴대용 기기들이 나오면서 일반인도 가상현실을 쉽게 접할 수 있게 되었다. 제러미에 따르면, 이것은 단순히 미디어 지형에서 점진적으로 일어난 변화가 아니다. 그는 "가상현실은 지금까지 발명된 어떤 매체보다 심리적으로 강력하다"라고 썼다. 그 비법은 제러미가 '심리적 현실감'이라 칭하는 것이다.

책과 영화는 우리를 이야기 속으로 옮겨다 놓지만, 독자와 관객은 자신이 독서와 영화 감상을 하고 있음을 알고 있다. 가상현실은 사람들이 그것이 매체라는 사실 자체를 잊어버릴 정도로 그들을 완전히 품어버린다. 가상현실에 몰입하면 도시 위를 날아갈 때는 심장이 미친 듯이 뛰고, 떨어지는 잔해와 적의 포격을 피하기 위해 이리저리 뛰게 된다. 그들은 가상의 경험과 실제 경험을 혼동하는데, 그들에게는 그 경험이 현실적이기 때문에 전혀 이상한 일이 아니다.

가상현실은 환상을 강화하며 게임의 미래를 결정지을 것이 거의 확실하다. 그러나 가상현실이 주는 심리적 현실감 때문에 가상현실은 우리로 하여금 실제 경험을 시도하게 해줄 수도 있다. 제러미는 바로 이 점이 가상현실 기술이 지닌 진정한 힘이라고 생각한다. 미식축구에서 쿼터백들은 가상현실을 활용해 경기장을 더 잘 시각화할 수 있고, 의대생들은 복잡한 처치를 연습할 수 있다. 두 경우 모두 가상현실은 신속하고 깊이 있는 학습을 가능케 해준다. 또한 가상현실은 사람들이 노인이나 다른 인종의 몸으로, 혹은 색맹인 사람의 눈으로 자신을 볼 수 있게 해준다.

이와 같은 발견 때문에 예술가 크리스 밀크(Chris Milk)는 가상현실을 '궁극의 공감 기계'라고 극찬했다. 2014년 크리스 밀크는 당시 84,000명의 시리아 난민이 머물고 있던 요르단 자타리 난민 캠프에서 지내는 12살 소녀에 관한 가상현실 영화인 <시드라에게 드리운 구름>을 만들었다. 관객들은 가상현실 속에서 시드라를 현실처럼 '만나고' 시드라 가족과 함께 '시간을 보내며' 난민 캠프를 둘러본다. 밀크는 최근 그 영화와 그것을 보는 데 필요한 오큘러스 헤드셋을 스위스에서 열린 다보스 세계경제포럼에 가져갔다.

"그 사람들은 난민 캠프 텐트 안에 앉아 있을 만한 사람들이 아니죠. (중간 생략) 하지만 어느 날 오후 스위스에서 그들은 모두 난민 캠프에 와 있는 자신을 발견했어요." 크리스 밀크에 따르면 "거기 앉아 있어본 것"이 중요했다. 그는 그 이유를 이렇게 설명했다. "텔레비전 화면을 통해 단순히 시청하고 있는 게 아니에요. (중간 생략) 그 애와 함께 앉아 있는 거죠. 고개를 숙이면 당신도 시드라가 앉아 있는 바로 그 땅에 앉아 있어요. 그렇기 때문에 당신은 한 인간으로서 시드라를 더욱 깊이 느끼게 되는 것입니다. 아주 심층적인 방식으로 시드라에게 공감하게 되죠."

-자밀 자키-

(라)

뱃슨은 공감이 우리를 자극해 타인을 돕게 한다는 견해를 옹호한다. 그러나 공감이 필연적으로 긍정적인 효과를 불러온다고 주장하지는 않는다. 뱃슨의 말대로, "공감이 유도하는 이타적 행동은 도덕적이지도 않고 비도덕적이지도 않다. 그것은 도덕과는 상관이 없다."

뱃슨의 다음 실험은 그 점을 잘 보여준다. 뱃슨은 피실험자들에게 어떤 자선단체에 관해 이야기했다. 그 단체는 불치병에 걸린 아이들이 얼마 남지 않은 생을 좀 더 편안하게 보낼 수 있도록 노력하는 자선단체였다. 그런 다음 뱃슨은 치료를 받기 위해 대기자 명단에 이름을 올려놓고 차례를 기다리고 있는 한 아이의 인터뷰를 듣게 될 것이라고 피실험자들에게 말했다. 그리고 피실험자들을 둘로 나누고, 한쪽의 피실험자들에게는 이렇게 말했다. "인터뷰를 듣는 동안 객관적인 입장을 취하도록 노력하세요. 인터뷰하는 아이의 감정에 휩쓸리지 않도록 주의하세요. 사심이 없는 객관적인 태도를 유지하세요." 또 다른 쪽의 피실험자들에게는 이렇게 말했다. "인터뷰하는 아이가 일련의 일을 겪으며 기분이 어땠을지, 그런 일들이 그 아이의 삶에 어떤 영향을 끼쳤을지 상상해보세요. 그동안 겪어온 일들이 이 아이에게 어떤 타격을 입혔을지, 그로 말미암아 지금 아이의 기분은 어떨지 느껴보려고 노력하세요."

그 아이는 아주 밝고 용감한 열 살짜리 셰리였다. 인터뷰에서는 셰리가 앓고 있는 불치병에 관한 자세한 설명이 나왔다. 그리고 셰리는 재단에서 제공하는 의료 서비스를 받고 싶다고 간절하게 이야기했다. 뱃슨은 양쪽 피실험자들에게 대기자 명단에서 셰리의 순서를 앞당겨 달라고 특별히 요청하고 싶은지 물었다. 그리고 만약 요청이 받아들여진다면, 이것은 곧 셰리보다 앞에 대기하고 있던 다른 아이들이 치료를 받기 위해 더 오래 기다려야 한다는 뜻임을 분명히 밝혔다.

그 효과는 강했다. 공감을 유도하는 말을 들은 피실험자의 4분의 3이 셰리의 순서를 앞당기고 싶어 했다. 반면에 공감을 억제하는 말을 들은 피실험자들의 경우에는 3분의 1만이 셰리의 순서를 앞당기고 싶어 했다. 공감의 효과는 차례를 지키는 정의에 대한 관심을 지니는 쪽으로 발휘되지 않았다. 오히려 다른 아이들을 희생시켜서라도 공감 대상인 셰리에게 특별히 더 관심을 쏟게 했다.

-폴 블룸-

[문제 1-1]
(가)에서 '화춘'에게 벌어진 상황을 요약한 후, (나)의 견해에 비추어 '화욱'의 문제가 무엇인지를 서술하시오. 글의 분량은 띄어쓰기를 포함하여, 400(±100)자로 할 것. (25점)

[문제 1-2]
(나)의 중심 화제와 관련하여, (다)와 (라)는 각각 어떤 견해를 펼치고 있는지, 각각에서 언급한 사례를 논거로 들어 서술하시오. 글의 분량은 띄어쓰기를 포함하여, 400(±100)자로 할 것. (25점)

[문제 2] 다음 제시문을 읽고 아래 문제에 답하시오

(가)

　선거제도는 다양한 방식들을 포함한다. 많은 국가들이 선택하는 대표적인 선거제도로 비례대표제와 단순다수제가 있다. 비례대표제에서 유권자들은 정당 또는 후보에게 1표를 행사하고, 각 정당 또는 같은 정당 후보들에게 행사된 표는 합산되어 정당 득표율이 결정된다. 선거구에 할당된 의원 정수는 이 선거구에서 각 정당이 얻은 정당 득표율에 따라 비례적으로 배분된다. 예컨대, 의원 정수가 300명인 선거구에서 세 정당이 각각 10%, 40%, 50%를 얻은 경우, 이들 정당은 각각 30석, 120석, 150석을 얻는다. 단순다수제에서 유권자들은 후보에게 1표를 행사하고, 가장 많은 표를 얻은 후보가 당선된다. 유권자는 자신이 가장 선호하는 후보가 당선될 가능성이 낮다면, 자신의 표가 사표가 되는 것을 방지하기 위해 당선이 가능한 차선의 후보에게 투표를 하는 성향이 있다. 따라서 단순다수제에서 유권자들은 당선 가능성이 낮은 군소 정당 후보보다 당선 가능성이 높은 주요 정당 후보에게 투표할 가능성이 높다. 단순다수제에서는 낙선한 군소 정당 후보들이 얻은 표들이 모두 버려지므로, 이들의 득표가 의석으로 전환되지 않는다.

　비례대표제와 단순다수제보다 복잡한 선거제도는 이 둘을 섞어서 사용하는 혼합형 선거제도가 있다. 혼합형 선거제도에서 유권자들은 정당과 후보에게 각각 1표씩 행사한다. 혼합형 선거제도는 비례 의석을 지역구 의석과 연동하는가 아닌가에 따라 연동형과 병립형으로 분류된다. 병립형은 비례대표 의원과 지역구 의원을 각각 비례대표제와 단순다수제로 선발한다. 병립형 선거제도에서 비례 의석은 정당 득표율에 따라 비례적으로 배분되나 지역구 의석은 비례적으로 배분되지 않는다. 예컨대, 총 300석 중 250석의 지역구 의원을 선발하고 50석의 비례대표 의원을 선발하는 국가에서 지역구에서 강한 A당이 100곳의 지역구에서 승리하고 30%의 정당 득표율을 얻었으면, A당은 지역구 의석 100석과 비례 의석 15석을 얻는다. 군소정당 후보는 지역구에서 10%를 득표했어도 지역구에서 한 석도 얻지 못할 가능성이 높다.

　연동형 선거제도에서는 의석을 각 정당의 득표율에 비례해서 배분한다. 병립형과 연동형의 중요한 차이는 비례 의석의 배분 방식에 있다. 병립형 선거제도에서는 지역구 의석이 지역구 승리 여부에 의해 결정되고 비례 의석은 정당 득표율에 따라 배분된다. 이에 반해 연동형에서는 두 종류의 의석 배분이 서로 연동되어 있다. 연동형에서는 전체 의석수에 정당 득표율을 곱한 값에서 지역구 의석수를 차감한 만큼의 비례 의석을 배분한다. 따라서 정당의 지역구 의석이 증가할수록, 이 정당이 얻는 비례 의석은 줄어든다. 예컨대, 한 정당이 300명을 선발하는 연동형 선거제도에서 30%를 득표하고 지역구에서 한 석도 얻지 못하면 300석의 30%에 해당하는 90석에서 지역구 의석 0석을 뺀 90석의 비례 의석을 얻는다. 그러나 이 정당이 30곳의 지역구에서 승리했다면 90석에서 30석을 뺀 60석의 비례 의석을 얻는다.

연동형 선거제도는 병립형 선거제도가 가지고 있지 않은 단점을 가지고 있다. 각 정당이 정당 득표율에 의해서 확보할 수 있는 의석수보다 더 많은 지역구에서 승리하게 되면, 연동형 선거제도에서는 '초과의석'이라는 것이 발생한다. 연동형에서 앞의 A당은 총 300석의 30%에 해당하는 90석을 배정받을 자격이 생긴다. 그러나 A당은 100곳의 지역구에서 승리하였으므로, 90석이 아닌 100석을 얻는다. 따라서 A당은 비례적인 의석 배분 결과인 90석보다 10석을 초과한 지역구 의석 100석을 얻게 되고 비례 의석은 1석도 얻지 못한다. 이처럼 지역구에서 강한 정당이 정당 득표율에 따라 배분된 의석수보다 더 많은 지역구에서 승리하게 되는 경우, 이 정당은 자신이 얻은 정당 득표율을 초과하는 의석을 얻는다.

(나)

21대 총선에서 '준연동형' 선거제도가 도입되었다. 준연동형 선거제도에서도 유권자들은 정당과 후보에게 각각 1표씩 행사한다. 준연동형에서는 비례 의석을 연동형 의석과 병립형 의석으로 나누고, '연동률'을 적용해서 연동형 의석을 배분한다. 예컨대, 총 300명을 선발하는 연동형 선거제도에서 지역구에서 약한 B당이 지역구 선거에서 한 석도 얻지 못하고 30%의 정당 득표를 했으면, 이 정당은 90석에서 지역구 의석 0석을 뺀 90석을 비례 의석으로 가져간다. 반면 총 300명을 선발하는 준연동형 선거제도에서 50%의 연동률을 사용하는 경우, B당은 90석에서 지역구 의석 0석을 뺀 90석의 50%인 45석을 '연동형' 의석으로 가져간다.

각 정당에게 연동형 의석을 배분하고 남은 비례 의석은 '병립형' 의석이라 부른다. 예컨대, 각 정당이 얻은 연동형 의석의 합이 30석이고 전체 비례 의석수가 50석인 경우, 병립형 의석이 20석 남게 된다. 이럴 경우, 30%의 정당 득표를 한 B당은 병립형 20석의 30%에 해당하는 6석의 병립형 의석을 얻게 된다. 연동형 선거제도와 준연동형 선거제도에서 얻는 의석을 비교해보면, B당은 앞에서 설명한 바와 같이 연동형에서 지역구 의석 0석과 비례 의석 90석을 얻게 되고, 준연동형에서는 지역구 의석 0석과 비례 의석 51석(연동형 45석과 병립형 6석)을 얻는다.

이처럼 복잡한 준연동형 선거제도를 도입한 이유는 연동형 선거제도에서는 지역구에서 강한 정당이 비례 의석을 배정받지 못할 가능성이 높기 때문이다. 반면 준연동형 선거제도에서는 지역구에서 강한 정당도 병립형 의석을 통해 비례 의석을 배정받을 수 있다. 예컨대, 지역구 100곳에서 승리하고 30%의 정당 득표를 한 A당은 연동형 선거제도에서 비례 의석을 한 석도 얻지 못한다. 반면 A당은 준연동형 선거제도에서 연동형 의석은 한 석도 얻지 못하지만 6석의 병립형 의석을 얻을 수 있다.

(다)

준연동형 선거제도를 채택한 21대 총선에서 더불어민주당과 미래통합당은 위성정당을 만들었다. 두 당은 지역구 후보만 내고 각각 비례대표 후보만 내세운 미래한국당과 더불어시민당을 창당했다. 더불어민주당과 미래통합당은 각각 지역구 선거에서는 더불어민주당과 미래통합당 후보를 지지하고 정당 투표에서는 자신들의 위성정당을 지지해달라고 호소하였다. 선거 결과 더불어민주당은 163곳의 지역구에서 승리하였고 더불어시민당은 33.4%를 득표하여 17석의 비례 의석을 얻었다. 미래통합당은 84곳의 지역구에서 승리하였고 미래한국당은 33.8%를 득표해서 19석의 비례 의석을 얻었다. 선거가 끝난 후 더불어민주당과 미래통합당은 각각 자신의 위성정당과 합당하였다.

[문제 2-1]
정당들이 선거에서 얻은 득표율에 따라 의석 비율이 결정되는 선거제도를 비례성이 높은 선거제도라 부른다. 비례성이 높은 선거제도일수록, 득표율과 의석률이 같아진다. 단순다수제, 비례대표제, 병립형 선거제도를 비례성이 높은 순으로 나열하고, 답에 대한 이유를 (가)의 내용을 근거로 제시하시오. 글의 분량은 띄어쓰기를 포함하여 400(±100)자로 할 것. (25점)

[문제 2-2]
준연동형 선거제도가 위성정당의 창당을 촉진하는 이유를 (나)에서 제시된 A당과 B당의 예를 들어 설명하시오. (다)에서 제시한 바와 같이 더불어민주당과 미래통합당이 21대 총선 당시 위성정당을 설립한 이유를 준연동형 선거제도의 특징으로 설명하시오. 글의 분량은 띄어쓰기를 포함하여 400(±100)자로 할 것. (25점)

아주대학교
AJOU UNIVERSITY

답안지 (자연계)

지원 학과 (전공)

※ 감독관 확인란
(서명)

성   명

수 험 번 호

⓪	⓪	⓪	⓪	⓪	⓪	⓪	⓪	⓪
①	①	①	①	①	①	①	①	①
②	②	②	②	②	②	②	②	②
③	③	③	③	③	③	③	③	③
④	④	④	④	④	④	④	④	④
⑤	⑤	⑤	⑤	⑤	⑤	⑤	⑤	⑤
⑥	⑥	⑥	⑥	⑥	⑥	⑥	⑥	⑥
⑦	⑦	⑦	⑦	⑦	⑦	⑦	⑦	⑦
⑧	⑧	⑧	⑧	⑧	⑧	⑧	⑧	⑧
⑨	⑨	⑨	⑨	⑨	⑨	⑨	⑨	⑨

주민등록번호앞자리(예:940512)

⓪	⓪	⓪	⓪	⓪	⓪
①	①	①	①	①	①
②	②	②	②	②	②
③	③	③	③	③	③
④	④	④	④	④	④
⑤	⑤	⑤	⑤	⑤	⑤
⑥	⑥	⑥	⑥	⑥	⑥
⑦	⑦	⑦	⑦	⑦	⑦
⑧	⑧	⑧	⑧	⑧	⑧
⑨	⑨	⑨	⑨	⑨	⑨

【1 - 1】답안   (반드시 해당 문제와 일치하여야 함)

40

80

120

160

200

240

280

320

360

400

440

이 줄 아래에 답안을 작성하거나 낙서할 경우 판독이 불가능하여 채점 불가

28

【1 - 2】답안　　（ 반드시 해당 문제와 일치하여야 함)

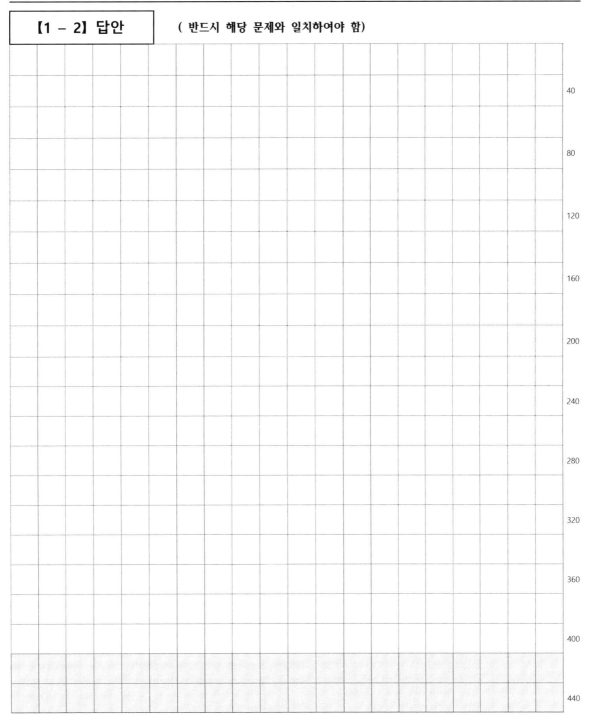

40

80

120

160

200

240

280

320

360

400

440

【2 - 1】 답안	(반드시 해당 문제와 일치하여야 함)

																40
																80
																120
																160
																200
																240
																280
																320
																360
																400
																440

【2 - 2】 답안　　(반드시 해당 문제와 일치하여야 함)

2. 2024학년도 아주대 모의 논술

[문제 1] 다음 제시문을 읽고 아래 문제에 답하시오

(가)

 존중의 가치를 가로막는 이상한 풍조가 널리 퍼져 있다. 냉담과 경멸, 날 선 비판과 냉소주의, 타인을 깎아내리는 언어가 이 시대의 주류가 되어가고 있다. 남과 다르게 생각하는 이들은 조롱당하며 약자들은 경멸당한다. 냉철함은 추구해야 할 사고방식이며, 자기중심주의는 사회적 이상으로 받아들여지고 있다. 진실하고 따뜻하고 세밀한 감정 표현은 오간 데 없고 어느새 인위적으로 표준화된 디지털 상품으로 대체되어 버렸다. 진솔한 미소 대신 스마일 아이콘을 사용하고 깊은 감정의 표현 대신 이모티콘을 사용한다.

 하지만 인간은 여전히 사랑과 칭찬이 필요하다. 선의를 추구하고자 하는 갈망과 샘솟는 감정 표현에 대한 목마름이 어느 때보다 절실하다. 예나 지금이나 인간은 사랑과 인정을 받고 싶은 갈망, 동정심과 연민을 구하는 욕구 그리고 사랑의 상실에 대한 두려움을 갖고 있다. 이것이 우리에게 더욱더 존중이 필요한 이유다.

 존중이 결핍되면 여러 가지 문제가 발생한다. 존중 결핍의 문제는 자기의 가치를 의심하고 심리적인 안정감이 낮아지는 것에만 있는 게 아니다. 이는 심리적 문제를 일으켜 관계의 어려움을 느끼게 하며 공격 성향을 증폭시킨다. 자살이나 가정 폭력에서부터 테러 범죄에 이르기까지 자기 공격 성향을 포함한 광범위한 형태의 공격 행동들 역시 존중의 문제에서 비롯된다. 존중이 결핍된 사람은 자존감이 낮아지기 때문에 타인을 비하하곤 한다. 다른 사람들을 무시하거나 존중하지 않음으로써 자신을 돋보이게 하는 것이다. 존중이 없는 문화에서 자애로운 상호작용을 발전시키는 것은 거의 불가능하다. 그렇다고 타인을 비판하지 말라는 것은 아니다. 중요한 것은 그것이 얼마나 건설적인가 하는 것이다. 긍정적 비판은 매우 소중하지만 파괴적인 비판은 그렇지 않다.

 존중의 가치가 실현되는 환경은 한 개인의 건강한 자존감을 위한 전제 조건이다. 또한 그 반대로 안정적인 자존감을 가진 사람만이 주변 사람이나 환경에 대한 가치를 인식할 수 있다. 존중은 타인에게만큼 나 자신에게도 필요한 것이다. 존중을 바탕으로 한 상호작용은 오늘날 흔히 우리가 말하는 서로 '윈윈(win-win)'하는 결과를 불러온다. 존중을 '기적'이라 부르는 것이 오글거리거나 혹은 진부하다고 느낄 수도 있다. 그런 생각을 하고 있다면, 한번 존중의 태도를 시도해보고 그 효과를 느껴보길 바란다. 아마도 놀라움을 경험할 것이다. 우리는 누군가에게 인정을 받거나 애정과 위로 또는 단순한 존경을 표할 때도 기분이 좋아진다. 어쩌면 기적이라는 말을 의심하는 우리의 마음은 주변 사람들에게 긍정적으로 반응하지 못하는 태도와 관련이 있을지도 모른다.

 진정한 인정이 우리의 삶을 강화하는 가장 중요한 요소인데도 불구하고 가정과 학교는 물론이고 직장에서 거의 활용되지 않는다. 존중을 기반으로 한 기업 문화와 직원 개개인을 인정하는 시스템이 직원들의 만족도를 높여 효율성을 높인다는 것이 과학적으로 입증되었는데도 그렇다. 부부 갈등에서도 비슷한 양상을 볼 수 있다. "우리는 서로 너무 안 맞아서 헤어질 수밖에 없어요." 그러면서 분명한 사실은 외면한다. 매일 피할 수 없는 일상적인 마찰 속에서 상호 존중은 어느덧 사라지고 없다는 사실을 말이다.

하지만 서로 의식적으로 친밀함과 존중 그리고 다정함을 바탕으로 한 태도를 실천하다 보면 아주 많은 것들이 해결되거나 성취될 수 있다. 존중은 겁쟁이나 나약한 이들, 까탈스러운 사람이나 신경증 환자를 포근하게 안아주고 감싸주는 주제 정도로 인식되기도 한다. 존중은 놀라울 정도로 단순하고 자명한 이치임에도 사람들 간의 일상적인 만남에서 무시되고 사회적으로도 하찮게 여겨지고 있다. 존중의 문화가 시들고 있는 이 시점에서 그 가치는 오히려 더 많이 활성화되어야 한다. 그렇게 될 때 공감이나 동정, 자비와 같은 인간적인 감정이 힘을 얻고, 우리의 본질적인 가치가 비로소 제자리를 찾을 수 있다.

- 라인하르트 할러, 책 제목 생략 -

(나)

내가 그의 이름을 불러 주기 전에는
그는 다만
하나의 몸짓에 지나지 않았다.

내가 그의 이름을 불러 주었을 때
그는 나에게로 와서
꽃이 되었다.

내가 그의 이름을 불러 준 것처럼
나의 이 빛깔과 향기에 알맞은
누가 나의 이름을 불러 다오.
그에게로 가서 나도
그의 꽃이 되고 싶다.

우리들은 모두
무엇이 되고 싶다.
너는 나에게 나는 너에게
잊혀지지 않는 하나의 눈짓이 되고 싶다.

- 김춘수, 꽃

(다)

[앞의 줄거리: 유희가 아들의 배필을 구하다가 사급사 댁의 딸 사정옥이 마음에 들어서, 매파를 보내 사급사 댁으로 보냈다.]

　사급사 댁의 부인이 매파를 불러들이니, 매파가 먼저 유희 집안의 부귀와 권세를 이야기하고, 그다음으로 아들 유연수가 똑똑하고 풍채가 **빼어남**을 언급한 뒤 말했다.

　"내로라 하는 집안에서 구혼하는 자가 매우 많았으나, 유희 어르신께서는 댁의 따님이 매우 아름답고 현숙하다는 말을 듣고서 제게 뜻을 전하도록 하셨습니다. 부인의 생각은 어떻습니까?"

　부인은 매우 기뻤다. 곧장 딸의 방으로 가서, 매파가 온 뜻을 자세히 말했다.

　"나는 더 없이 좋다만, 정옥이 네 뜻은 어떤지 모르겠구나."

　사정옥이 소리를 낮춰 대답했다.

　"유희 어르신은 어진 재상이니 그 집과 혼인하지 못할 까닭이 없지요. 그런데 군자는 덕(德)을 숭상하고 색(色)을 가볍게 본다고 했습니다. 또한 어진 부인들은 덕으로 남편을 섬기고, 군자는 색으로 아내를 취하지 않는다고 했습니다. 그러나 지금 매파가 말한 것은 색이었습니다. 또 매파는 유씨 집안의 부귀와 권세를 크게 칭송했을 뿐, 우리 집 돌아가신 아버님의 맑은 이름과 곧은 절개는 언급하지도 않았습니다. 매파가 어리석어서 유희 어른의 뜻을 제대로 전달하지 못한 듯합니다만, 그렇지 않다면, 유희 어른이 어질다는 말은 헛소문이겠죠. 저는 그 집에 들어가고 싶지 않아요."

　부인은 평소 딸을 기특하게 여기고 사랑했으므로 반대하지 않았다. 매파에게 말했다.

　"곤궁한 집 딸아이가 귀하신 댁의 며느리가 되는 것은 감당할 수 없을 것 같네. 게다가 유희 어른께서 딸아이의 자색을 잘못 들으신 듯하네. 가난한 집에서 손수 길쌈하며 자란 아이니, 조금 배웠다고 한들 어찌 감히 부귀한 집안의 딸에 비하겠나? 혼인한 뒤에 딸아이가 듣던 바와 같지 않다고 하여 큰 죄를 얻을까 걱정되니. 그대는 모름지기 이런 뜻을 잘 전해주시게."

　매파는 이상하게 생각하고 온갖 방법으로 설득했으나, 부인의 대답은 한결같았다. 매파가 돌아와 유희에게 처음부터 끝까지 소상하게 아뢰자, 유희는 오랫동안 깊이 생각하더니 말했다.

　"자네, 사급사 댁에 가서 뭐라고 말했나?"

　매파가 말한 내용을 자세히 전했더니, 유희가 웃으면서 말했다.

　"내가 소홀하여 말할 바를 상세히 가르치지 않아 저 집이 의심했구나. 자네는 물러가게."

　다음날 유희는 몸소 고을 현령을 찾아가 말했다.

　"사급사 댁에 처자가 있다고 하여 제가 구혼하려고 매파를 보냈는데, 아마도 매파가 제 뜻을 제대로 전달하지 못한 듯합니다. 바라건대 현령께서 사급사 댁에 가서 제 뜻을 잘 전달해 좋은 인연이 맺어지도록 해주십시오. 그렇게 되면 제게는 이보다 더 큰 행운은 없을 것입니다."

"유희 어른께서 부탁하시니 마땅히 마음을 다하겠습니다. 저 집에 가서 무슨 말을 할까요?"

"별다른 것 없습니다. 그저 '내가 혼인을 바라는 것은 오직 돌아가신 사급사의 맑은 덕을 흠모해서이고, 또 그 딸은 부덕(婦德 부녀가 지켜야 할 덕)이 있기 때문입니다.'라고 한다면 됩니다."

"잘 전하겠습니다."

현령은 유희와 헤어진 후에 관아 사람을 사급사 댁으로 보내 다음날 직접 찾아갈 것이라는 뜻을 전했다. 부인은 '반드시 혼사 때문이리라' 생각하고 집안을 청소하고 그를 기다렸다.

다음날 현령이 오니, 사정옥의 유모가 절하며 말했다.

"나리께서는 어찌 오셨는지요?"

"어제 유희 어른께서 관아에 오셔서 말씀하시기를 '내 아들에게 구혼하는 곳이 많았으나 뜻에 맞는 곳이 없습니다. 제가 사급사 댁 따님이 정숙하며 부덕이 있다고 들었습니다. 이는 제가 바라는 바입니다. 더욱이 사급사의 맑은 이름과 곧은 절개는 제가 흠모해왔습니다. 매파를 보내 구혼했지만 답을 얻지 못하였지요. 매파가 나의 뜻을 그릇 전달한 듯합니다. 현령께서 중매하여 혼인을 이루어주시기를 부탁합니다'라고 하셨네. 그래서 내가 이곳에 왔으니 이 뜻을 부인께 고하시게나."

유모가 들어가 부인에게 아뢰고 다시 나와 부인의 말을 전했다.

"현령께서 이렇게 수고로움을 잊고 오셨으니 몸둘 바가 없습니다. 유희 어른 댁과의 혼사는 잘 감당할 수 없을까 걱정이었지. 어찌 다른 뜻이 있었겠습니다. 말씀대로 하겠습니다."

현령이 돌아온 즉시 편지를 써서 유희에게 전달했다. 유희는 매우 기뻐하며, 좋은 날을 가려 혼사를 이루었다. 결혼식 날, 아들 유연수가 신부를 맞이하는데, 사정옥의 참된 모습과 아름다운 예절을 칭찬하지 않는 자가 없었다.

-김만중, 사씨남정기 -

[문제 1-1] (가)를 요약하고, 그 내용을 바탕으로 (나)에서 '나, 너, 우리'의 관계를 연계하여 서술하시오. 글의 분량은 띄어쓰기를 포함하여, 400(±100)자로 할 것. (25점)

[문제 1-2] (다)의 상황을 요약하고, (가)의 '존중'을 바탕으로 '사정'이 취한 존중과 '유희'가 취한 존중에 관해 차례대로 서술하시오. 글의 분량은 띄어쓰기를 포함하여, 400(±100)자로 할것. (25점)

[문제 2] 다음 제시문을 읽고 아래 문제에 답하시오.

(가)

소선거구에서 1인을 선발하는 다수제 공식은 단순다수제(plurality system), 결선투표제(runoff system)와 선택투표제(alternative voting system)를 포함한다. 단순다수제에서 유권자는 자신이 가장 선호하는 후보에게 1표를 행사한다. 단순다수제에서 최다득표자는 과반수의 표를 얻지 않아도 당선된다. 결선투표제에서는 후보가 당선되기 위해서 과반수의 표를 확보해야 한다. 과반수를 확보한 후보가 없는 경우, 1위 후보와 2위 후보만 참가한 결선투표를 치러 둘 중 더 많은 표를 얻은 후보가 당선된다. 선택투표제에서는 유권자가 후보들에 대한 선호의 순서를 표시한다. 선택투표제에서는 결선투표제에서와 마찬가지로 과반수의 1순위 표를 확보한 후보가 당선된다. 1순위 표의 과반을 얻은 후보가 없는 경우, 과반을 얻은 후보가 결정될 때까지 1순위 표를 이양한다.

<표 1> 11명 유권자들의 네 정당 후보에 대한 선호

	정당 A 후보 갑	정당 B 후보 을	정당 C 후보 병	정당 D 후보 정
유권자 1	1	2	3	4
유권자 2	1	2	3	4
유권자 3	1	3	2	4
유권자 4	1	3	2	4
유권자 5	3	1	2	4
유권자 6	4	3	1	2
유권자 7	2	4	1	3
유권자 8	3	2	1	4
유권자 9	4	3	2	1
유권자 10	4	3	2	1
유권자 11	4	3	2	1

<표 1>은 11명의 유권자들이 네 정당의 후보들에 대한 선호를 보여준다. 예컨대, 유권자 1은 갑, 을, 병, 정 순으로 후보를 선호한다. 단순다수제에서 유권자들이 자신의 선호에 따라 투표한다면, <표 1>에서 1순위 선호가 가장 많은 후보가 당선될 것이다. 선택투표제에서는 유권자들이 1부터 4까지의 선호를 명부에 기입한다. 당선자를 결정하기 위해 선택투표제에서는 먼저 1순위 표의 과반을 얻은 후보가 있는가를 검토한다. <표 1>에서 1순위 표의 과반을 얻기 위해서는 1순위 표를 6개 이상 얻어야 한다. <표 1>에서 후보 갑은 1순위 표 4개를 얻어 가장 많은 표를 얻었으나, 1순위 표가 과반에 미달하기 때문에 당선되지 못한다. 이처럼 1순위 표의 과반을 확보한 후보가 없는 경우, 가장 적은 수의 1순위 표를 얻은 후보를 먼저 낙선시킨다. <표 1>에서 후보 을이 유권자 5로부터 1순위 표 하나만 받았으므로 후보 을의 낙선이 확정된다.

단순다수제에서는 낙선 후보에게 던진 표가 사표로 버려지지만 선택투표제에서는 낙선 후보를 지지한 유권자의 1순위 표가 버려지지 않고 활용된다. 낙선 후보에게 1순위 표를 던진 유권자의 표는 이 유권자가 2순위 표를 던진 후보들에게 이양된다. 예컨대, <표 1>에서 후보 을에게 1순위 표를 던진 유권자 5의 1순위 표는 유권자 5가 2순위 표를 던진 후보 병에게 이양된다. 이처럼 1순위 표를 이양하면, 후보 병은 후보 을로부터 이양받은 1순위 표 1개와 자신에게 행사된 1순위 표 3개를 합한 4표를 얻게 된다. 이 단계에서 후보 갑과 정은 모두 1순위 표를 이양받지 못했으므로, 이들은 각각 4개와 3개의 1순위 표를 얻었다. 따라서 이 단계에서도 과반의 1순위 표를 얻은 후보가 없다. 이럴 경우, 남아 있는 세 후보들 중 1순위 표를 가장 적게 받은 후보 정을 제거하고, 이 후보에게 1순위 표를 행사한 유권자의 표를 같은 방식으로 이양하여 당선자를 결정한다.

(나)

정치 양극화가 이슈다. 정치 갈등이 문제로 제기된 것은 어제 오늘 일이 아니다. (중략) 양당 체제의 강화와 제3 정치 세력이 부재한 정치권 그리고 네거티브 정치와 진영논리에 따른 팬덤 정치가 맞물려 갈등의 정도가 격화됐다. 대화, 소통, 협치, 합의는 설 자리가 없다. (중략) 본 조사에서는 정치 양극화를 정당별 지지도의 관점에서 파악했다. 우선 전체 응답자를 더불어민주당, 국민의힘 등 지지 정당별로 나누고 응답자가 각 정당을 어느 정도 지지 또는 반대하는지를 11점 척도(-5점 '매우 반대', 0점 '중립'. +5점 '매우지지')로 조사하였다. 그 결과 더불어민주당, 국민의힘 양당의 지지도는 상당히 유사한 모습을 보였다. 더불어민주당 지지층 가운데 국민의힘을 "매우 반대"하는 사람은 65%였다. 국민의힘 지지층 중에서는 62%가 더불어민주당을 "매우 반대"했다. 즉 한 정당의 지지층이 상대 정당을 매우 강하게 반대하는 "양극화된 선호"가 나타났다.

출처: "정치 양극화, 선거제도의 문제인가" 한국일보 2023년 2월 25일자 기사.

[문제 2-1]

유권자들이 <표 1>이 보여준 선호에 따라 투표한다면 단순다수제와 선택투표제에서 각각 당선되는 후보가 어떤 후보인가를 답하시오. 이 질문의 답에 대한 이유를 (가) 제시문에 제시된 당선 기준을 통해 설명하시오. 글의 분량은 띄어쓰기를 포함하여 400(±100)자로 할 것. (25점)

[문제 2-2]

<표 1>의 네 후보 중 어떤 두 후보가 (나)에서 제시된 "양극화된 선호"를 얻었습니까? 이 질문의 답에 대한 이유를 설명하시오. 단순다수제와 선택투표제 중 어떤 선거제도가 "양극화된 선호"를 가진 후보에게 더 불리한가를 답하시오. 이 질문에 대한 답을 근거로 단순다수제와 선택투표 제 중 어떤 선거제도가 정치양극화를 억제하는데 더 적합한가를 설명하시오. 글의 분량은 띄어쓰기를 포함하여 400(±100)자로 할 것. (25점)

【1 - 1】 답안　　(반드시 해당 문제와 일치하여야 함)

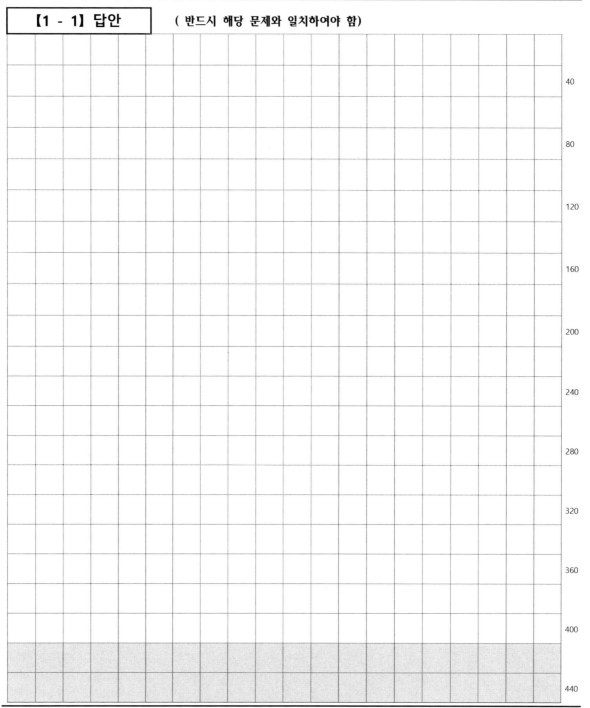

40

80

120

160

200

240

280

320

360

400

440

이 줄 아래에 답안을 작성하거나 낙서할 경우 판독이 불가능하여 채점 불가

【1 - 2】답안 (반드시 해당 문제와 일치하여야 함)

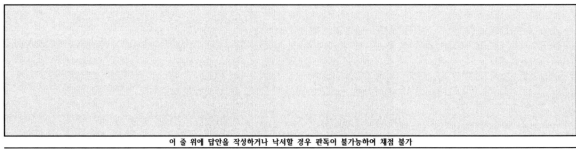

【2 - 1】 답안 　　　(반드시 해당 문제와 일치하여야 함)

40

80

120

160

200

240

280

320

360

400

440

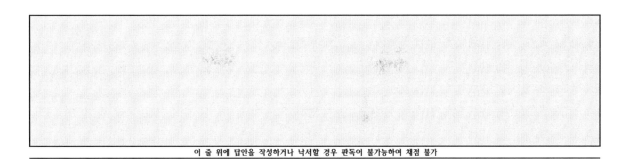

【2 - 2】 답안 (반드시 해당 문제와 일치하여야 함)

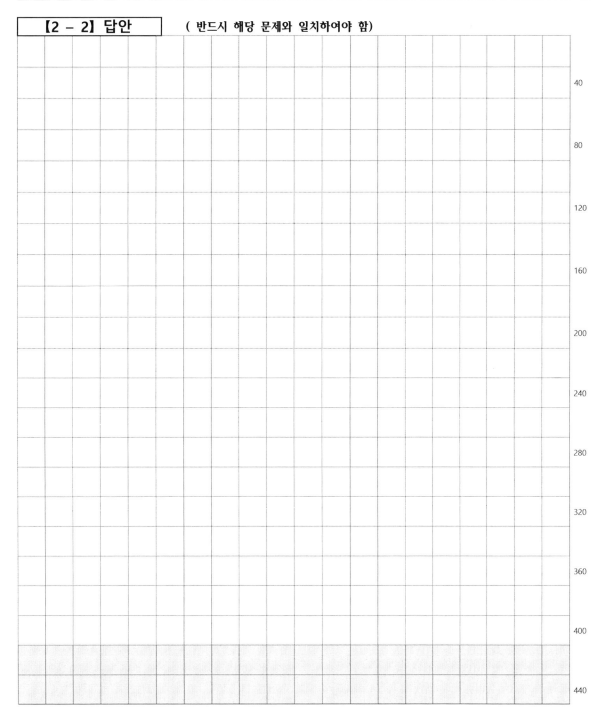

3. 2023학년도 아주대 수시 논술

[문제 1] 다음 제시문을 읽고 아래 문제에 답하시오.

(가)

언제 어디서 샀는지도 알 수 없지만, 우리 집에도 헌 비닐우산이 서너 개가 된다. 아마도 길을 가다가 갑자기 비를 만나서 내가 사 들고 온 것들일 게다. 하지만 그 가운데 하나나 제대로 쓸 수 있을까? 그래도 버리긴 아깝다. 비닐우산은 참 볼품없는 우산이다. 눈만 흘겨도 금방 부러져 나갈 듯한 살하며, 당장이라도 팔랑거리면서 살을 떠날 듯한 비닐 덮개하며, 한 군데도 탄탄한 데가 없다. 그러나 그런대로 우리의 사랑을 받을 만한 덕(德)을 갖추고 있기 때문에, 아주 몰라라 할 수만은 없는 우산이기도 하다.

우리가 길을 가다가 갑자기 비를 만날 때, 가난한 주머니로 손쉽게 사 쓸 수 있는 우산은 이것밖에 없다. 물건에 비해서 값이 싼지 비싼지 그것은 알 수 없지만, 어떻든 일금 백 원으로 비를 안 맞을 수 있다면, 이는 틀림없이 비닐우산의 덕이 아니겠는가?

값이 이렇기 때문에 어디다 놓고 와도 섭섭하지 않은 것이 또한 이 비닐우산이다.

[중략]

고가(高價)의 베 우산을 받고 나온 날은 어디다 그 우산을 놓고 올까 봐 신경을 쓰게 된다. 하지만 하루 종일 썩인 머리로 대포 한잔하는 자리에서까지 우산 간수 때문에 걱정을 할 수는 없지 않은가? 버리고 와도 께름할 게 없는 비닐우산은 그래서 좋은 것이다.

비닐우산을 받고 위를 쳐다보면, 우산 위로 떨어져 흐르는 물방울이 보인다. 그리고 빗방울이 떨어지면서 내는 그 환한 음향도 들을 만한 것이다. 투명한 비닐 덮개 위로 흐르는 물방울의 그 맑고 명랑함, 묘한 리듬을 만들어 내는 빗소리의 그 상쾌함, 단돈 백 원으로 사기에는 너무 미안한 예술이다.

바람이 좀 세게 불면 비닐우산은 홀딱 뒤집히기도 한다. 그것을 바로잡는 한동안, 비록 옷은 다소의 비를 맞는다 하더라도 우리는 즐거운 짜증을 체험할 수 있고, 또 행인들에게 가벼우나마 한때의 밝은 미소를 선사할 수 있어서 좋다. 그날이 그날인 듯, 개미 쳇바퀴 돌듯 하는 우리의 재미없는 생활 속에, 그것은 마치 반 박자짜리 쉼표처럼 싱그러운 변화를 불러일으키는 것이다.

[중략]

비닐우산은 참 볼품없는 우산이다. 한 군데도 탄탄한 데가 없다. 그러나 버리기에는 너무나도 아름다운 효용성이 있음으로 하여 두고두고 보고 싶은 우산이다. 그리고 값싼 인생을 살며, 조금만 바람이 불어도 넘어질 듯한 부실한 사람, 그런 몸으로나마 아이들의 머리 위에 내리는 찬비를 가려 주려고 버둥대는 삶. 비닐우산은 어쩌면 나와 비슷한 데도 적지 않은 것 같아서, 때때로 혼자 받고 비 오는 길을 쓸쓸히 걷는 우산이기도 하다.

정진권, 〈비닐우산〉

(나)

[전략: 글쓴이는 땔감으로 쓰려고 창고에 방치해 두었던 버려진 버드나무 토막에서 싹이 돋은 것을 보며 나무의 강인한 생명력을 느낀다.]

아파트 단지든 길거리에서든 눈에 띄는 대로 주워오는 것은 잘린 버드나무뿐이 아니다. 버린 침대 밑바닥의 널조각도 외면하기에는 너무 아깝다. 개중에는 향이 진동하는 질 좋은 나무도 있다. 깨끗한 자개상도 벌써 다섯 개나 모아뒀다. 큰 밥상도 있고, 개다리소반도 있다. 멀쩡한 책상은 왜 그리도 자주 버리는지 알 수 없다. 선반이나 책장, 고가의 장식장도 적잖다. 튼튼한 의자도 심심찮게 눈에 띈다. 버리는 이유야 소상하게 알 수 없지만 흠집이 났다고, 유행에 뒤떨어졌다고, 산 지 오래되어 싫증이 났거나 촌스럽다고 생각해 버리는 모양이다. 버리는 일에 도무지 주저가 없어 보인다. 버려진 물건들의 번듯함과 엄청난 양을 생각하면 몹시 우울해진다.

망치를 들고, 때로는 드릴을 들고 폐기물 수거하는 사람들이 오기 전에 먼저 물건들을 해체한다. 수거하는 사람들은 아무리 번듯한 물건이라도 가차 없이 쇠지렛대로 요절내고 해머로 박살을 내서 신속하게 부피를 줄인 뒤, 차에 싣는다. 차에 실리는 순간 그것들은 '되살려 쓸 여지가 있는 자원'이 아니라 쓰레기가 되어버린다.

물건들이 시골의 앞마당에 자꾸 쌓이자 내 작업도 톱과 망치, 드라이버만으로 부족해 제대로 된 공구들이 조금씩 갖춰지기 시작했다. 잘라 낸 송판과 대패질을 새로 한 각목들이 설계대로 조립되면 세상에 하나밖에 없는 누더기 탁자가 탄생한다. 잠깐 뚝딱거리면 의자도 생긴다. 널찍한 개집도 만들었다. 균형을 맞추느라 자꾸 덧대다 보니 내 작품들은 좀 무거운 게 흠이다. 그렇지만 내 조악한 목공 작품들을 친구들은 아주 좋아한다. 나는 주워 온 나무들로 뭐든 만들 수 있을 것 같은 행복한 착각에 빠지기도 한다.

사람들이 어느 날 느닷없이 노시로 몰리고 손끝 하나 까딱 않고 뭐든 쉽게 사들이면서 타고난 손의 기능은 퇴화하기 시작했다. 사소한 것들을 손수 만드는, 바꿀 수 없는 기쁨도 사라져 버렸다. 오래 쓰고, 고쳐 쓰고, 다시 쓰는 일보다는 새것을 사는 게 더 멋진 삶이라고 광고는 쉴 새 없이 부추겼고, 사람들은 그 거짓말에 쉽게 굴복했다. 유한한 자연 자원과 그것들이 사람한테 오기까지 걸린 시간에 모두들 무감각해져 버렸다. 이런 무신경과 난폭한 낭비는 정말 벌 받을 짓이 아닐 수 없다. 쓰레기가 어디로 가는지 아무도 신경 쓰지 않는다. 고작 태우거나 묻어 버리는데, 묻어도 능사가 아니지만 태우면 더욱이나 안 되는 것들을 너무 많이 만든다. 이른바 '불필요한 생산'이다. 하지만 자본주의는 불필요한 생산이라도 돈이 된다면 추호의 망설임도 없다. 이렇게 과감한 소비 생활은 외양이 아무리 화려해도 문명이라는 이름의 야만과 어리석음의 극치가 아닐 수 없다. 어찌 생각하면, 모두들 허무주의자들 같기도 하다.

"지구라는 우주선에는 승객은 없다. 모두 승무원일 뿐이다." 라고 말한 이는 맥

루한이었다. 이 행성에 대한 최소한의 책임은커녕, 시방 우리는 오만한 승객인 양 착각의 삶을 살고 있다. 물에 담가 둔 버드나무 토막을 보고 사람들이 "어쩌면 살겠네!"라고 한마디씩 건넨다. 나무는 아마 자신을 두고 한 소리라 알아듣지 않겠나 싶다. 살든 못 살든, 물이 좀 올랐다 싶으면 대문 옆에 심을 생각이다.

-최성각, 〈버려진 것들의 생명력〉

(다)

어제 입었던 옷이 오늘 입은 옷에 밀려나고, 오늘 입은 옷은 다시 내일 입을 옷에 밀려난다. 우리가 유행이라고 부르는 이와 같은 연속된 과정은 지금도 끊임없이 이어지고 있다. 요즘은 유행의 속도가 점점 더 빨라져 거의 매일 새로운 옷이 쏟아져 나오고, 온갖 광고는 소비자에게 새로운 유행을 따르라고 유혹한다. 하지만 새 옷을 입는 즐거움도 잠시, 유행은 어느새 바뀌고 몇 번 입지도 않은 옷은 더 이상 입지 못할 옷이 되어 버려진다. 미국에서 발간한 한 잡지의 보도에 따르면, 2010년대에 들어 미국인이 구입한 옷은 1980년대와 비교했을 때 다섯 배나 더 많다고 한다. 우리나라도 이와 다르지 않게 옷 구매 횟수와 구매량이 빠르게 증가하였다. 소비자가 이렇게 많은 옷을 쉽게 소비할 수 있게 된 이유는 무엇일까?

옷 소비가 증가하는 현상의 원인은 여러 가지가 있지만, 가장 주요한 원인은 의류 업체 간의 치열한 가격 경쟁으로 점점 내려가는 옷 가격이다. A 기업이 청바지 한 벌을 5만 원에 시장에 내놓았는데, B 기업이 같은 품질의 청바지를 4만 5천 원에 판다면 소비자는 A 기업보다는 B 기업의 청바지를 살 것이다. 의류 업체 입장에서는 '어떻게 가격을 낮출 것인가?'에 사업의 성패가 달려 있다고 할 수 있다.

[중략]

가격이 싼데도 최신 유행에 뒤처지지 않는 옷을 우리가 살 수 있는 또 다른 이유는 의류 업체 간의 속도 경쟁 때문이다. 얼마 전까지만 해도 새로운 유행을 반영한 옷을 만들어 가게에 전시하기까지는 6개월 가량 걸리는 것이 일반적이었다. 그런데 최신 유행을 반영한 제품을 시장에 빨리 내놓을수록 경쟁에서 유리하다는 것을 알게 된 몇몇 의류 업체는 그 기간을 줄일 방안을 모색하였다. 그리하여 제품을 만드는 과정에서 중요도가 낮은 부분을 축소하거나 없애 제작 기간을 줄이고, 가능한 온갖 운송 방법을 사용하여 운송 시간도 단축하였다. 그 결과, 현재는 단 2주 만에 제품을 생산해서 매장에 선보이는 의류 업체까지 등장하였다.

신상품을 최대한 빨리 만들어서 싼 가격으로 파는 것은 이제 하나의 사업 전략으로 자리 잡았고, 이 전략을 선택한 많은 의류 업체가 승승장구하고 있다. 이런 놀랄 만한 성장의 원동력은 무엇보다도 소비자의 열렬한 호응이다. 최신 유행을 반영한 옷을 싼 가격에 살 수 있게 된 소비자는 이러한 옷을 마다할 이유가 없고, 더 많은 제품을 판매하여 이익을 얻게 된 의류 업체도 함박웃음을 짓는다. 그런데 좀 더 깊이 살펴보면 이러한 변화가 과연 반가워만 할 일인가라는 의문이 든다.

-이민정, 〈옷 한 벌로 세상 보기〉

[문제 1-1]
제시문 (가)와 (나)는 올바른 소비에 관하여 교훈을 준다. 제시문 (가)와 (나)를 비교하여 요약하시오. 글의 분량은 띄어쓰기를 포함하여 400(±100)자로 할 것. (20점)

[문제 1-2]
제시문 (다)는 옷을 지나치게 많이 소비하는 현대 사회의 모습을 다룬다. 제시문 (다)의 상황이 초래할 수 있는 문제점을 지적하고, 그것에 대해 제시문 (가) 또는 (나)를 활용하여 해결책을 제시하시오. 글의 분량은 띄어쓰기를 포함하여 800(±200)자로 할 것. (30점)

(주의! 현재 단국대 유형과 글자수가 다름! [문제 1-2]만 글자수가 많음)

[문제 2] 다음 제시문을 읽고 아래 문제에 답하시오.

(가)

검사는 살인사건 현장에서 두 용의자를 공범으로 체포했다. 검사가 이들을 살인죄로 기소하기 위해서는 이들의 자백이 필요하나 두 용의자가 서로 협력해서 함구하면 이들은 살인죄를 피할 수 있다. 검사는 자백을 받아내기 위해 갑과 을이라 불리는 두 용의자에게 다음과 같은 제안을 한다. 둘 중에 한 사람이 친구를 배신하고 죄를 자백하면, 자백한 범인은 석방되나 자백하지 않은 범인은 10년형을 받는다. 두 사람 모두 자백하면 각각 5년형을 받는다. 검사가 갑과 을로부터 자백을 얻어내는 데 실패하면, 이들은 모두 1년형만 받는다.

이러한 상황에서 갑은 어떠한 선택을 할 것인가를 고민한다. 만약 을이 자백을 했는데 자신만 함구하면 10년형을 받게 될 것이다. 따라서 갑은 함구하는 것보다 자백하는 것이 더 낫다. 즉 을이 갑을 배신했을 경우, 갑은 친구를 배신하는 것을 선호한다. 만약 을이 함구했을 때, 갑이 자백하면 자신은 석방될 것이다. 따라서 갑은 함구하는 것보다 자백하는 것이 더 낫다. 즉 을이 협력한다고 해도 갑은 친구를 배신하는 것을 더 선호한다. 갑과 을의 자백과 함구에 대한 선호는 서로 같으므로, 이들은 같은 선택을 한다.

(나)

두 사냥꾼이 사냥을 나섰다. 이들이 협력하면 사슴을 잡을 수 있지만, 토끼를 잡는 데에는 한 명의 사냥꾼만으로 충분하다. 두 사냥꾼이 각각 토끼를 잡았을 때 얻는 이익보다 둘이 사슴을 잡았을 때 얻는 이익이 더 크다. 따라서 상대가 사슴을 쫓으면 나도 사슴 쫓는 것이 낫다. 즉 상대가 협력하면 나도 협력하는 것을 선호한다.

사냥꾼 갑과 을이 함께 사슴을 잡기로 약속하고 사슴을 쫓고 있는데, 그 옆으로 토끼들이 지나간다. 두 사냥꾼은 자신의 옆을 지나는 토끼의 유혹을 뿌리치지 못하고 토끼를 쫓을 수 있다. 두 사냥꾼 중 한 명이 토끼를 쫓으면 토끼를 쫓는 사냥꾼은 토끼를 잡을 수 있으나 사슴을 계속 쫓는 사냥꾼은 아무것도 얻지 못한다. 따라서 상대가 토끼를 쫓으면 나도 토끼를 쫓는 것이 낫다. 즉 상대가 배신하면 나도 배신하는 것을 선호한다.

(다)

한국의 학부모를 가장 괴롭게 만드는 것은 사교육이다. 다른 아이는 사교육을 받는데 내 아이만 사교육을 안 시키면 내 아이만 뒤처진다. 따라서 다른 학부모가 사교육을 시키면 나도 내 아이에게 사교육을 시키는 것을 선택한다. 그러나 모든 학부모가 사교육을 시키면 누구도 앞서가기 어렵고 아이들은 경쟁에 시달린다. 다른 학부모가 사교육을 안 시킬 때 내 아이에게도 사교육을 안 시키면 누구도 앞서가지 않으며 내 아이는 경쟁에서 벗어날 수 있다. 그러나 다른 학부모가 사교육을 안 시킬 때 내 아이에게 사교육을 시키면 내 아이는 다른 아이보다 더 앞서간다. 따라서 다른 학부모가 사교육을 안 시켜도 나는 내 아이에게 사교육을 시키는 것을 선택한다.

(라)

남이 사교육을 시키면 어쩔 수 없이 나도 시키지만 남이 사교육을 안 시킨다면 나도 안 시키겠다고 마음을 먹는 학부모들이 증가하고 있다. 모든 학부모가 사교육을 안 시키면 사교육비도 절감하고 아이들도 행복할 수 있다. 따라서 남이 사교육을 안 시킨다면 나도 아이의 행복을 위해서 사교육을 안 시킨다. 그러나 남이 사교육을 시키는데 나만 안 시키면 내 아이가 뒤처진다. 따라서 남이 사교육을 시키면 나도 사교육을 시키는 것을 선택한다.

[문제 2-1]

(가)와 (나)는 모두 상대와 협력할 것인가 아니면 상대를 배신할 것인가를 선택해야 하는 상황을 묘사하고 있다. ① (가)와 (나)의 상황에서 상대의 선택에 따라 죄수와 사냥꾼은 협력과 배신 중 무엇을 선택하는지 답하시오. ② (가)와 (나)의 상황에서 발생하는 결과를 예측하시오. ③ (가)와 (나)에서 서로 다른 결과가 발생하는 이유를 죄수와 사냥꾼의 협력과 배신에 대한 선호의 차이로 설명하시오. 글의 분량은 띄어쓰기를 포함하여 400 (±100)자로 할 것. (25점)

[문제 2-2]

① (다)와 (라)의 상황에서 발생하는 결과를 예측하시오. ② (다)와 (라)에서 서로 다른 결과가 발생하는 이유를 (가)와 (나)의 죄수와 사냥꾼의 협력과 배신에 대한 선호의 차이로 설명하시오. 글의 분량은 띄어쓰기를 포함하여 400 (±100)자로 할 것. (25점)

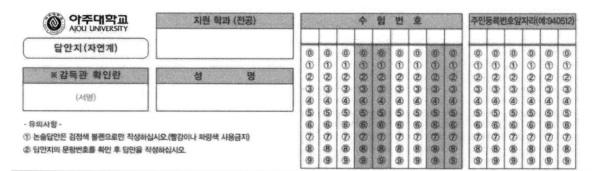

아주대학교
AJOU UNIVERSITY

답안지 (자연계)

※감독관 확인란
(서명)

지원 학과 (전공)

성   명

수 험 번 호

주민등록번호앞자리(예:940512)

- 유의사항 -
① 논술답안은 검정색 볼펜으로만 작성하십시오.(빨강이나 파랑색 사용금지)
② 답안지의 문항번호를 확인 후 답안을 작성하십시오.

【1 - 1】답안　　(반드시 해당 문제와 일치하여야 함)

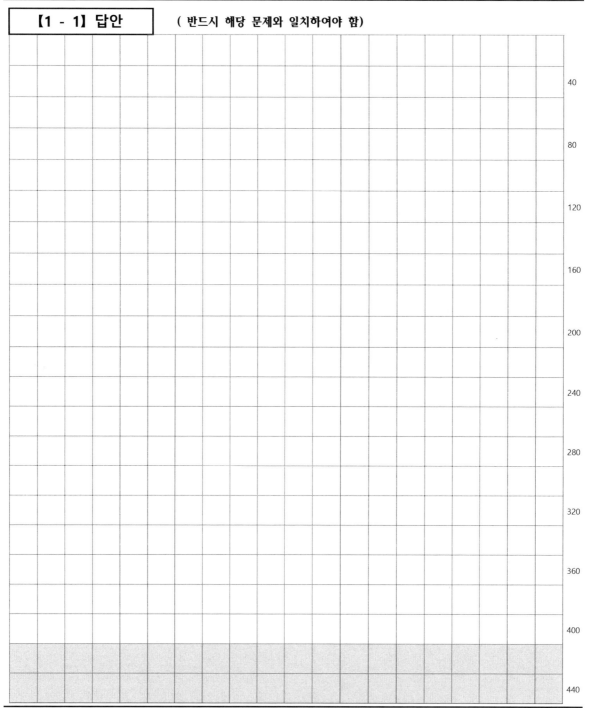

40

80

120

160

200

240

280

320

360

400

440

이 줄 아래에 답안을 작성하거나 낙서할 경우 판독이 불가능하여 채점 불가

48

【1 - 2】 답안　　(반드시 해당 문제와 일치하여야 함)

40

80

120

160

200

240

280

320

360

400

440

480

520

560

600

640

680

720

760

800

840

880

【2 - 1】 답안　　(반드시 해당 문제와 일치하여야 함)

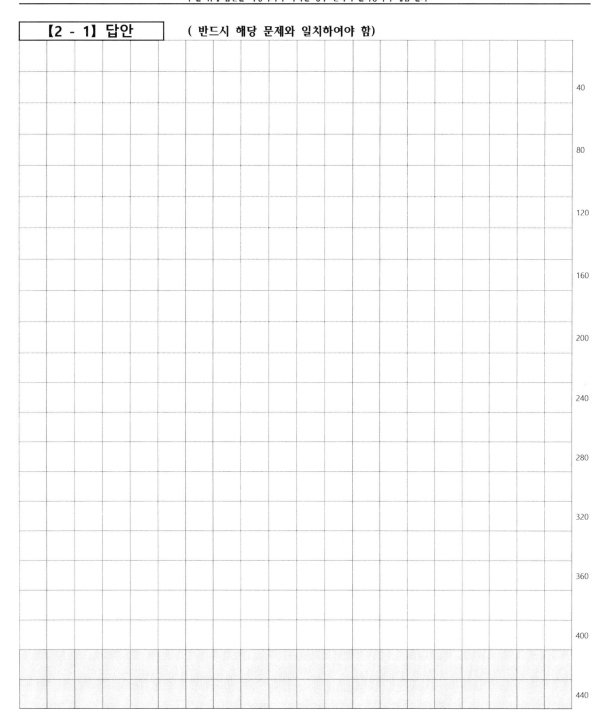

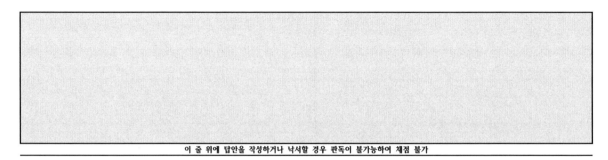

【2 - 2】답안   (반드시 해당 문제와 일치하여야 함)

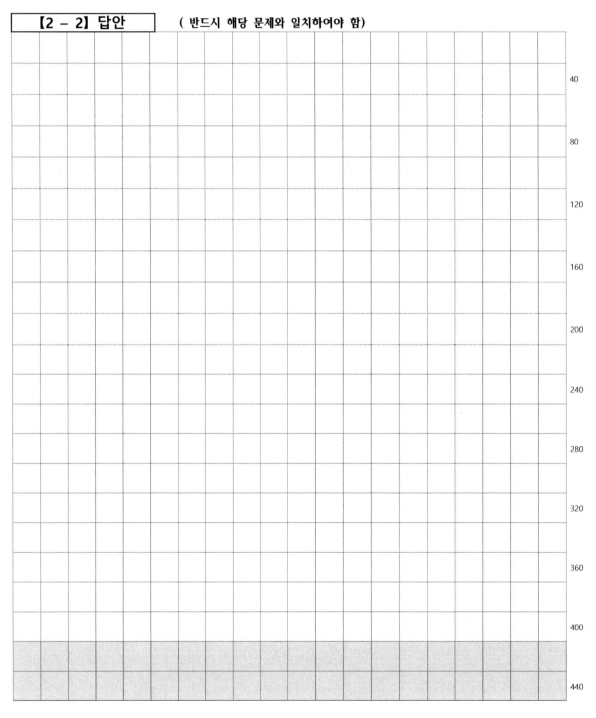

4. 2023학년도 아주대 모의 논술

[문제 1] 다음 제시문을 읽고 아래 문제에 답하시오.

(가)

몽테뉴는 전문적 지식인들이 이론에 젖어 실천을 경시하는 것을 멸시했다.

"다른 사람들의 강력하고 위대한 지식들을 너무 많이 받아들이다가는 남의 지식에 밀려서 자기 판단력은 짓눌리고 억압되어 오그라져 버리고 만다. 나는 식물은 수분이 너무 많으면 말라 죽고 램프에 기름이 너무 많으면 불이 꺼지는 것과 마찬가지로, 정신의 작용도 공부와 지식과 재료가 너무 많으면 숨뿌리가 막힌다고 말하고 싶다. 아는 일이 잡다하게 많아서 거기에만 사로잡혀 당혹해 버리고 사리를 풀어 볼 방법을 잃는다. 이 무게 때문에 학자는 허리가 굽어지고, 곱추가 되는 것이리라."

이처럼 지식이 과도해지는 것을 몽테뉴는 비판한다. 그는 학자들이 지식에 대해서는 많이 알지만 '판단력과 도덕'에 있어서는 그렇지 않다고 비판하면서 다음과 같이 말한다.

"그러나 그들이 더욱 현명한 인간인가 아닌가 하는 것이 문제의 근본인데도, 이것이 잊혀지고 있다. 여기서는 더 많이 아느냐 하는 것보다 더 잘 아느냐 하고 물어 보아야 할 일이다. 우리는 단지 기억을 가득 채우려고만 노력하고, 이해력과 양심은 빈 채로 둔다. 마치 새들이 모이를 찾으러 나가서 그것을 새끼에게 먹이려고 맛도 보지 않고 입에 물고 오는 것과 같다. 우리 학자님들은 여러 책에서 학문을 쪼아다가 입술 끝에만 얹어 주고, 단지 뱉어서 바람에 날려 보내는 짓밖에는 하지 않는다."

몽테뉴는 사람들이 '키케로는 이렇게 말했다. 이것이 플라톤의 도덕이다. 이것이 바로 아리스토텔레스의 말이다'라는 식으로 말하곤 하는데, "그러나 우리는 우리 지신은 뭐라고 밀할까? 우리는 어떻게 판단하는가? 우리는 무엇을 하는 것인가? 앵무새도 이만큼은 할 것이다."라고 비판한다. 즉, "지식은 내 것으로 만들어야 한다."고 강조한다.

몽테뉴는 주입식 교육을 하는 선생을 비판하고, 학생을 자각시키는 교육을 주장한다.

"선생들은 마치 깔때기에 물을 부어넣듯 줄곧 우리 귀에 대고 소리친다. 이런 선생의 직책이란, 누가 이미 말한 바를 되풀이하는 것밖에 없다. 나는 선생들이 이 방법을 고쳐서, 그가 가르치는 아이의 능력에 따라 사물들을 음미해 보고, 먼저 자신이 선택하고 식별하여 보게 한 뒤 그 자질을 시험하는 것으로 시작하여, 어느 때는 그의 길을 열어주고, 어느 때는 학생 스스로가 길을 열어 가게 인도하기 바란다. 나는 선생이 혼자서 생각하고 말하기를 원하지 않는다. 그는 제자가 말하는 것도 들어주어야 한다."

몽테뉴의 이러한 교육 방법이 얼마나 새로운 것인가는 이 지적이 지금 우리 교육의 수준과 상황에 대해서도 그대로 비판적으로 적용된다는 것으로도 알 수 있다.

"외워서 아는 것은 아는 것이 아니다. 그것은 남이 주는 것을 기억 속에 보관해 두는 수작이다. 똑바로 안다는 것은 그 스승을 쳐다볼 것 없이, 책을 들여다볼 것도 없이 스스로가 깨달을 수 있다. 순전히 책을 통해서만 얻어지는 역량은 비참한 역량이다! 나는 그런 것은 장식으로나 쓰지, 기본으로 삼지 말기를 바란다."

그는 다음과 같이 결론을 맺는다. "교육에서는 욕망과 애정을 돋우어 주는 것보다 더 좋은 방법은 없다. 그러지 않으면 책을 짊어진 당나귀밖에 만들지 못한다. 사람들은 그들을 매질해 주머니에 학문을 잔뜩 넣어 주지만, 학문을 잘하려면 그저 담아두기만 해서는 안 된다. 자기 것으로 만들어야 한다."

박홍규, 《몽테뉴의 숲에서 거닐다》

(나)

미래사회가 필요로 하는 인재는 창의력을 갖춘 인재이다. 하지만 지금까지의 학교 교육은 창의력을 말살하고 암기 위주의 기계적인 인간을 만들고 있다는 비판을 받고 있다. 창의력을 강조하다 보니 기초지식습득을 위한 암기나 반복학습을 무시하거나 심지어 나쁜 것처럼 오해하는 사람들도 있었다.

그러나 지금까지의 주장과 달리 창의력은 머리가 아닌 엉덩이에서 나온다는 이야기를 하는 사람들이 다시 늘고 있다. 특히 창의력을 필요로 하는 작가나 연구자들이 그러한 이야기를 많이 한다. 아무리 뛰어난 능력을 갖춘 사람이라고 할지라도 끝없는 반복 없이는 그 분야의 최고가 되기 어렵다. 이는 스포츠나 예능 분야뿐 아니라 공부의 세계에도 마찬가지이다. 뇌과학자 장 디디에 뱅상에 따르면 "기억은 뉴런 집합이 형성되는 것인데, 이는 동일한 자극의 반복에 의해 강화된다. 즉, 학습은 반복과 동의어이며 기억한다는 것은 그러한 반복의 자취를 보존하는 것이다." 굳이 뇌학자의 이야기를 빌지 않더라도 한자어인 학습이라는 단어 자체가 배울 학(學) 익힐 습(習) 즉, 배움의 핵심은 지속적인 반복을 통해 익히는 것임을 잘 보여주고 있다.

이해하지 못하면 잘 외워지지 않기 때문에 가르치는 사람은 당연히 학생들이 자기의 머리로 생각하고 이해하도록 이끌어야 한다. 그러나 내용을 이해했다고 자기 것이 되는 것은 아니라 반복과 암기를 통해 익히는 작업을 해야 소화가 되어 자기 몸에 흡수되는 것이다. 이런 과정 속에서 지식이 쌓이고 생각의 근육이 튼튼해져 창의력이 발휘된다는 평범한 진리를 우리 아이들이 망각하지 않도록 이끌 필요가 있다.

반복과 암기를 통해 개념과 용어를 익히면 이 각각은 지식의 바다에서 새로운 지식과 지혜를 낚아 올리는 낚싯바늘과 같은 역할을 하게 된다. 고기가 떼를 지어 지나갈 때 많은 낚싯바늘을 담그고 있으면 한두 개만 담그고 있는 사람보다 같은 시간에 더 많은 고기를 낚을 가능성이 높다. 이처럼 같은 내용을 같은 시간 동안 배우더라도 아는 것이 많은 사람이 더 많은 것을 배우게 될 가능성이 훨씬 높다. 또 모르면 손에 쥐어줘도 모른다는 속담은 아무리 바다에 고기떼가 넘쳐나더라도 낚싯바늘이 달리지 않은 낚싯대로는 물고기를 잡을 수 없다는 말과 같다. 이처럼 아는 것이 많은 학생일수록 더 많은 것을 배우게 되어 학년이 올라갈수록 공부를 잘하는 학생과 못하는 학생 간의 차이가 더욱 벌어지게 된다.

이를 공부에서 나타나는 '빈익빈 부익부 현상'이라고 한다. 알파고처럼 우리 인간도 뇌를 외부 컴퓨터와 연결시켜 순간에 세상의 모든 지식을 다 검색하여 활용할 수 있는 때가 오기 전까지는 수고롭더라도 노력을 통해 지식을 축적하고 그 지식을 활용하는 능력(역량)을 길러야만 한다.

엉덩이는 지식을 습득하는 데에만 중요한 것이 아니라 창의력을 발휘하는 데에도 중요한 역할을 한다. 브라운과 뤠디거는 "관련 기본 지식이 풍부해야 낯선 문제를 다루는 데 창의력이 영향력을 발휘한다. 지식만 많고 창의력과 독창성이 부족한 경우와 마찬가지로 지식의 탄탄한 토대가 없는 창의력 역시 모래성에 불과하다"라는 주장이 널리 받아들여지고 있다.

진희정의 '하루키 스타일'에 보면 무라카미 하루키의 창조력은 비가 오나 눈이 오나 매일 달리기를 하고, 일본에 있건 해외에 있건 매일 일정량의 원고를 쓰는 꾸준한 반복에서 나온 것이다. 하루키 스스로도 꾸준하게 반복하는 데에서 창조성이 나온다고 밝히고 있다.

생생경영연구소 이병주 소장은 '모방은 나의 힘! 피카소'라는 SERICEO 강연을 통해 창조와 관련해서 모방이 갖는 이점을 세 가지로 나누어 설명하고 있다. 첫째, 모방은 무언가를 빨리 배울 수 있게 해준다. 반복하다 보면 요령도 생기고, 쉬워지며, 관련 지식도 쌓인다. 둘째, 모방은 자연스럽게 개선과 변형으로 이어진다. 이는 주체가 돼서 활동하면 보이지 않던 것도. 다른 사람의 시각에서 보면 고쳐야 할 점이 눈에 들어오게 되기 때문이다. 셋째, 모방은 대상의 원리에 대한 커다란 깨달음을 준다. 모방을 통해 "분석적인 지식이 아니라 통합적인 통찰을 얻게 된다." 이병주는 문학가들이 습작 시기에 베껴 쓰기를 통해 스스로의 문체를 창조할 수 있는 것은 모방이 가진 세 번째 효과 때문이라고 주장한다. 완벽하게 모방하려면 수 없는 반복을 해야 한다. 즉, 창조의 원천인 모방도 엉덩이 힘인 것이다.

박남기, 〈창의력은 엉덩이에서 나온다〉

(다)

인공지능 시대는 필연적으로 인간이 본질과 삶의 의미에 대해 근원적 질문을 던진다. 인공지능과 자동화는 우리에게 기계가 인간을 능가할 수 없는, 기계가 도저히 흉내 낼 수 없는 인간의 능력이 무엇이냐고 묻는다. 이것은 단지 기계와의 경주에서 살아남기 위해 경쟁력 있는 직업을 유지할 수 있는 인간만의 고유한 기능이 무엇인지를 묻는 게 아니다. 인공지능이 점점 더 똑똑해지고, 인간이 해 오던 많은 일을 기계가 대신하게 되는 상황에서 인간이 인간다워지는 것의 의미를 묻는 것이다.

　인공지능 시대에 인간을 인간답게 만드는 것은 무엇보다 결핍과 그에 따른 고통이다. 인류의 역사와 문명은 이러한 결핍과 고통에서 느낀 감정을 동력으로 발달해 온 고유의 생존 시스템이다. 처음 마주하는 위험과 결핍은 두렵고 고통스러웠지만, 인류는 놀라운 유연성과 창의성으로 대응해 왔다. 결핍과 고통을 벗어나는 과정에서 인류가 체득한 생존의 방법이 유연성과 창의성이다. 이것은 기계에 가르칠 수 없는 속성이다. 그래서 인간의 약점은 인간과 기계를 구별하는 최후의 요소라고 할 수 있다. 우리는 기계를 설계할 때 부정확한 인식과 판단, 감정에 비롯한 변덕스럽고 비합리적인 행동, 망각과 고통 같은 인간의 약점을 기계에 부여하지 않는다. 인간은 우리가 기계에 부여하지 않을. 이러한 부족함과 결핍을 지닌 존재이다. 하지만 거기에 인공지능 시대 우리가 가야 할 사람의 길이 있다.

　결국, 앞에서 이야기한 두 가지 과제의 궁극적인 방향은 기계와의 경쟁이 아닌 공존과 공생이다. 인간 고유의 속성인 유연성과 창의성은 인공지능 시대라는 새로운 변화에서도 인간이 생존할 방법을 찾아낼 것이다.

구본권, 〈로봇 시대, 인간의 일〉

[문제 1-1] 제시문 (가)와 (나)는 올바른 교육이 무엇인지를 다룬다. 제시문 (가)와 (나)의 차이점을 비교하시오. 글의 분량은 띄어쓰기를 포함하여 400(±100)자로 할 것.(20점)

[문제 1-2] 제시문 (다)는 인공지능과 자동화가 우리에게 던지는 새로운 과제를 다룬다. 제시문 (가) 또는 (나)를 활용하여 제시문 (다)가 말하는 '인공지능 시대'를 대비하기 위한 교육에 관한 자신의 견해를 펼치시오. 글의 분량은 띄어쓰기를 포함하여 600(±200)자로 할 것.(30점)

(주의! 현재 단국대 유형과 글자수가 다름! [문제 1-2]만 글자수가 많음)

[문제 2] 다음 제시문을 읽고 아래 문제에 답하시오.

(가)

실험연구란 연구자가 인과관계를 구성한다고 믿는 독립변수와 종속변수만을 선별하여 그들 간의 관계를 집중적으로 분석하는 방법이다. 내적타당성(internal validity)은 다른 변수의 영향을 받지 않고 오직 독립변수가 종속변수에 미치는 영향의 정도를 말한다. 실험연구에서 내적타당성을 저해하는 여러 가지 요인들이 있다. 첫 번째 이유는 우연한 사건(history)이다. 우연한 사건은 실험기간 중에 실험 외부에서 발생한 특수한 사건을 말한다. 예를 들면, 금연 껌이 청소년 흡연을 억제하는 효과를 분석하는 실험 기간 중 청소년이 추앙하는 인기 연예인이 흡연 때문에 사망했다면, 이러한 사건은 피험자들의 흡연 욕구를 감소시킬 수 있다. 두 번째 이유는 성숙(maturation)요인이다. 이는 시간의 흐름에 따라 피험자에 발생하는 내적 (생물학적, 심리학적) 변화를 의미한다. 예를 들면, 실험 기간 중 피험자들이 담배를 구입할 수 있는 나이에 도달한다면, 이들의 흡연이 증가할 수 있다. 세 번째 이유는 편향된 선택(selection) 요인이다. 이는 피험자가 실험에 참가하지 않은 사람들과 이질적인 특징을 가지고 있기 때문에 발생하는 문제이다. 예를 들면, 금연 껌의 효과를 분석하는 실험에 금연을 원하는 청소년들이 주로 참가한다면, 이들은 실험에 참가하지 않은 청소년들에 비해 강한 금연동기를 가지고 있을 수 있다. 전술한 세 요인들은 금연 껌의 효과가 실제 효과에 비해 더 크게 추정되는 과대 추정의 오류를 초래하거나, 실제 효과에 비해 더 작게 추정되는 과소 추정의 오류를 초래한다.

(나)

금연 껌이 70세 이상의 고령층의 흡연을 억제하는 효과를 분석하는 실험연구에서 학자 A와 B는 각각 다음과 같은 실험연구를 제안하였다. 학자 A는 금연 껌의 효과에 대한 실험연구를 공고하고 이 실험에 참여를 희망하는 고령층 흡연자들을 모집하였다. 학자 A는 실험을 수행하기 전에 모집된 흡연자들의 하루 평균 흡연량을 측정했다. 이 학자는 피험자들에게 매달 금연 껌을 처방하고 처방에 따라 금연 껌을 섭취하도록 한 후, 1년 뒤에 피험자들의 흡연량이 감소했다는 사실을 발견하였다. 학자 B는 실험에 참여를 희망하는 고령층 흡연자들을 무작위적인 방법을 통해 금연 껌을 처방할 피험집단과 금연 껌을 처방하지 않을 통제집단으로 분류하고, 실험에 참가하기 전에 각 집단의 하루 평균 흡연량을 측정하였다. 학자 B는 피험집단에게 매달 금연 껌을 처방하고 처방에 따라 금연 껌을 섭취하도록 하였다. 통제집단에 속한 흡연자들에게는 예산 부족으로 금연 껌을 처방하지 못하게 되었다는 점에 대해 양해를 구하고 1년 뒤에 실험에 참여시킬 것을 약속하였다. 이 학자는 1년 후에 두 집단의 실험 참가자를 다시 소집하여, 두 집단의 평균 흡연량을 측정한 결과 피험집단이 통제집단에 비해 흡연량이 더 많이 감소했다는 사실을 발견하였다.

[문제 2-1]

(나)에서 제시된 학자 A의 실험연구는 (가)의 내적타당성을 저해하는 세 가지 요인들로 인해 과대 추정 또는 과소 추정의 오류를 범할 수 있습니까? 아니면 이러한 오류를 피할 수 있습니까? 과대 추정 또는 과소 추정의 오류를 범할 수 있다면, 세 가지 요인들이 각각 과대 추정 또는 과소 추정 중 어떠한 오류를 초래하는가를 예를 들어 설명하시오. 과대 추정 또는 과소 추정의 오류를 피할 수 있다면 그 이유를 설명하시오. 글의 분량은 띄어쓰기를 포함하여 400(+100)자로 할 것. (25점)

[문제 2-2]

(나)에서 제시된 학자 B의 실험연구는 (가)의 내적타당성을 저해하는 세 가지 요인들로 인해 과대 추정 또는 과소 추정의 오류를 범할 수 있습니까? 아니면 이러한 오류를 피할 수 있습니까? 과대 추정 또는 과소 추정의 오류를 범할 수 있다면, 세 가지 요인들이 각각 과대 추정 또는 과소 추정 중 어떠한 오류를 초래하는가를 예를 들어 설명하시오. 과대 추정 또는 과소 추정의 오류를 피할 수 있다면 그 이유를 설명하시오. 글의 분량은 띄어쓰기를 포함하여 400($\pm$100)자로 할 것. (25점)

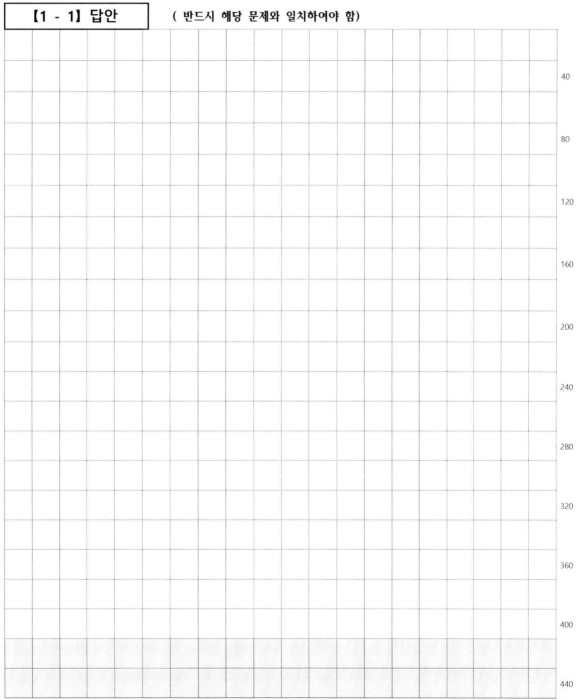

지원 학과 (전공)

성   명

수 험 번 호

주민등록번호앞자리(예:940512)

【1 - 1】 답안   (반드시 해당 문제와 일치하여야 함)

이 줄 아래에 답안을 작성하거나 낙서할 경우 판독이 불가능하여 채점 불가

【1 - 2】 답안   (반드시 해당 문제와 일치하여야 함)

										40
										80
										120
										160
										200
										240
										280
										320
										360
										400
										440

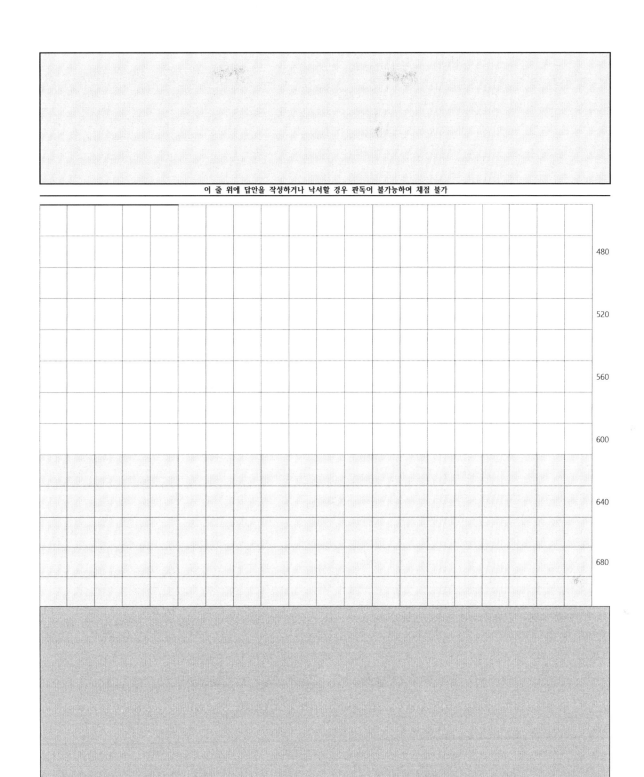

【2 - 1】 답안　　（ 반드시 해당 문제와 일치하여야 함)

															40
															80
															120
															160
															200
															240
															280
															320
															360
															400
															440

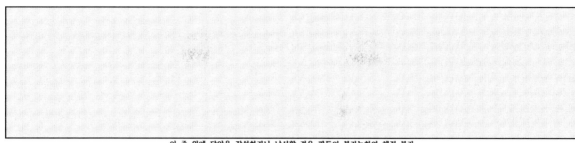

【2 - 2】답안 (반드시 해당 문제와 일치하여야 함)

5. 2022학년도 아주대 수시 논술

[문제 1] 다음 제시문을 읽고 아래 문제에 답하시오.

(가)

그의 고향은 대구에서 멀지 않은 K군 H란 외딴 동리였다. 한 백호 남짓한 그곳 주민은 전부가 역둔토를 파먹고 살았는데 역둔토로 말하면 사삿집 땅을 부치는 것보다 떨어지는 것이 후하였다. 그러므로 넉넉지는 못할망정 평화로운 농촌으로 남부럽지 않게 지낼 수 있었다. 그러나 세상이 뒤바뀌자 그 땅은 전부가 동양척식회사의 소유에 들어가고 말았다. 직접으로 회사에 소작료를 바치게나 되었으면 그래도 나으련만 소위 중간 소작인이란 것이 생겨나서 저는 손에 흙 한번 만져 보지도 않고 동척엔 소작인 노릇을 하며 실작인에게는 지주 행세를 하게 되었다. 동척에 소작료를 물고 나서 또 중간 소작인에게 긁히고 보니 실작인의 손에는 소출의 삼할도 떨어지지 않았다. 그 후로 '죽겠다', '못 살겠다' 하는 소리는 중이 염불하듯 그들의 입길에 오르내리게 되었다. 남부여대하고 타처로 유리하는 사람만 늘고 동리는 점점 쇠진해 갔다.

지금으로부터 구 년 전 그가 열일곱 살 되던 해 봄에 그의 집안은 살기 좋다는 바람에 서간도로 이사를 갔었다. 쫓겨 가는 운명이어든 어디를 간들 신신하랴. 그곳의 비옥한 전야도 그들을 위하여 열릴 리 없었다. (중략) 화도 나고 고국산천이 그립기도 하여서 훌쩍 뛰어나왔다가 오래간만에 고향을 둘러보고 벌이를 구할 겸 서울로 올라가는 길이라 한다.

"고향에 가시니 반가워하는 사람이 있습니까?"

나는 탄식하였다.

"반가워하는 사람이 다 뭐기오? 고향이 통 없어졌더마."

"그렇겠지요. 구 년 동안이면 퍽 변했겠지요."

"변하고 무어고 간에 아무것도 없더마. 집도 없고, 사람도 없고, 개 한 마리도 얼씬을 않더마."

"그러면 아주 폐동이 되었단 말씀이오?"

"흥, 그렇구마. 무너지다가 담만 즐비하게 남았더마. 우리 살던 집도 터야 안 남았겠는기오? 암만 찾아도 못 찾겠더마. 사람 살던 동리가 그렇게 된 것을 혹 구경했는기오?"

하고 그의 짜는 듯한 목은 높아졌다.

"썩어 넘어진 서까래, 뚤뚤 구르는 주추는! 꼭 무덤을 파서 해골을 헐어 젖혀 놓은 것 같더마. 세상에 이런 일도 있는 기오? 백여 호 살던 동리가 십 년이 못 되어 통 없어지는 수도 있는 기오? 후!" / 하고 그는 한숨을 쉬며 그때의 광경을 눈앞에 그리는 듯이 멀거니 먼 산을 보다가 내가 따라 준 술을 꿀꺽 들이켜고,

"참! 가슴이 터지더마, 가슴이 터져."

하자마자 굵직한 눈물 두어 방울이 뚝뚝 떨어진다.

나는 그 눈물 가운데 음산하고 비참한 조선의 얼굴을 똑똑히 본 듯싶었다.

이윽고 나는 이런 말을 물었다./ "그래, 이번 길에 고향 사람은 하나도 못 만났습니까?"

"하나 만났구마, 단지 하나." / "친척 되시는 분이던가요?"

"아니구마, 한 이웃에 살던 사람이구마." / 하고 그의 얼굴은 더욱 침울해진다.

"여간 반갑지 않으셨겠지요?"

"반갑다마다. 죽은 사람을 만난 것 같더마. 더구나 그 사람은 나와 까닭도 좀 있던 사람인데……" "까닭이라니?" / "나와 혼인 말이 있던 여자구마."

"하!" / 나는 놀란 듯이 벌린 입이 다물어지지 않았다.

"그 신세도 내 신세만이나 하구마." / 하고 그는 또 이야기를 계속하였다.

그 여자는 자기보다 나이 두 살 위였는데 한 이웃에 사는 탓으로 같이 놀기도 하고 싸우기도 하며 자라났었다. 그가 열네댓 살 적부터 그들 부모 사이에 혼인 말이 있었고 그도 어린 마음에 매우 탐탁하게 생각하였었다. 그런데 그 처녀가 열일곱 살 된 겨울에 별안간 간 곳을 모르게 되었다. 알고 보니 그 아비 되는 자가 이십 원을 받고 대구 유곽에 팔아먹은 것이었다. 그 소문이 퍼지자 그 처녀 가족은 그 동리에서 못 살고 멀리 이사를 갔는데 그 후로는 물론 피차에 한번 만나 보지도 못하였다. 이번에야 빈터만 남은 고향을 구경하고 돌아오는 길에 읍내에서 그 아내 될 뻔한 댁과 마주치게 되었다. 처녀는 어떤 일본 사람 집에서 아이를 보고 있었다. 궐녀는 이십 원 몸값을 십 년을 두고 갚았건만 그래도 주인에게 빚이 육십 원이나 남았었는데 몸에 몹쓸 병이 들고 나이 늙어져서 산송장이 되니까 주인 되는 자가 특별히 빚을 탕감해 주고 작년 가을에야 놓아 준 것이었다. 궐녀도 자기와 같이 십 년 동안이나 그리던 고향에 찾아오니까 거기에는 집도 없고 부모도 없고 쓸쓸한 돌무더기만 눈물을 자아낼 뿐이었다. 하루해를 울어 보내고 읍내로 들어와서 돌아다니다가 십 년 동안에 한 마디 두 마디 배워 두었던 일본 말 덕택으로 그 일본 집에 있게 되었던 것이었다.

"암만 사람이 변하기로 어째 그렇게도 변하는기오? 그 숱 많던 머리가 훌렁 다 벗어졌더마. 눈은 푹 들어가고 그 이들이들하던 얼굴빛도 마치 유산을 끼얹은 듯하더마."

"서로 붙잡고 많이 우셨겠지요?"

"눈물도 안 나오더마. 일본 우동집에 들어가서 둘이서 정종만 한 열 병 따라 누이고 헤어졌구마." 하고 가슴을 짜는 듯이 괴로운 한숨을 쉬더니만 그는 지낸 슬픔을 새록새록이 자아내어 마음을 새기기에 지쳤음이더라. / "이야기를 다 하면 무얼 하는기오?"

하고 쓸쓸하게 입을 다문다. 내 또한 너무도 참혹한 사람살이를 듣기에 쓴 물이 났다.

현진건, 「고향」

(나)

 고향에 대한 깊은 애착은 특정 문화나 경제권에만 국한되는 것이 아닌 전 세계적인 현상으로 보인다. 도시나 땅은 어머니로 간주되며, 그것은 사람들에게 삶의 자양분을 제공한다. 즉 고향은 정감 어리고 애틋한 추억들과 함께 현재에 영감을 주는 찬란한 과거의 역사적 업적들을 모아놓은 일종의 '저장고'인 것이다. 또한 고향은 영속적인 성질을 갖고 있어서 우연성과 변화의 물결에 휩쓸리면서 스스로 나약하다고 여기는 사람들에게 심리적 안정감과 정신적 위안을 준다.

 또한 사람들은 자신의 고향을 '세상의 중심'으로 보려는 경향이 있다. 자신들의 고향을 중심이라고 주장하는 것은 그 위치가 부인하기 어려운 가치를 지녔다는 것을 주장하는 셈이다. 세계의 여러 지역에서 이러한 중심 의식은 기본 방위에 따르는 기하학적 공간 개념에 의해 구체화된다. 집을 예로 들어 설명하자면, 집은 천문학적으로 결정된 공간 시스템의 중심에 위치한다. 천상과 지하세계를 잇는 수직축이 집을 관통하고, 또 별들은 집을 중심으로 빙 돌면서 움직이는 것처럼 보인다. 이렇게 하여 집과 고향은 우주 구조의 중심점이 된다. 이러한 장소 개념에서는 당연히 집에 최상의 가치를 부여하기 때문에 집을 포기한다는 것은 상상조차 하기 어려운 일이다. 만약 파괴가 일어난다면 사람들은 완전히 기가 꺾일 것이다. 왜냐하면 자신들의 고향이 폐허가 되는 것은 그들의 우주가 폐허가 됨을 뜻하기 때문이다.

-이-푸투안, 『공간과 장소』

(다)

 큰아들은 작년에 대학 입시생이었다. 바쁘게 공부해야 하는 시기임에도 빼놓지 않고 하루에 30분 정도는 초등학생 때부터 해 오던 '메이플 스토리'라는 게임을 했다. 2003년도에 출시된 이 게임은 2차원 온라인 게임으로, 배경 화면이 오른쪽에서 왼쪽으로 흘러가면서 주인공이 그 안을 뛰어다니는 게임이다. 각 스테이지마다 각기 다른 배경의 공간이 만들어져 있다. 하늘에 떠 있는 도시가 나오기도 하고, 숲이 배경으로 되기도 한다. 이 게임에는 이러한 배경 공간이 수백 개가 있다. 처음에는 이 게임을 하는 아들을 보면서 쉴 때 아무것도 하지 말고 쉬지 왜 게임을 하는지 이해가 되지 않았다. 그러던 어느 날 멍하니 게임을 하고 있는 아들을 뒤에서 바라보다가 아들이 왜 이 게임을 하면서 쉬는지 깨달았다. 그에게는 메이플 스토리의 게임 배경 화면이 고향이기 때문이다. 초등학교 시절부터 가장 많은 시간을 보낸 스크린 속 게임 공간이 그에게는 내가 어려서 뛰놀던 골목길과 마찬가지였던 것이다. 어렵지 않은 메이플 스토리 게임을 하면서 움직이는 배경 화면을 보는 것은 아들에게는 움직이는 풍경을 보는 산책과 마찬가지였다. 스마트폰과 게임 같은 가상 공간에서 더 많은 시간을 보내는 밀레니얼 세대에게 가상 공간은 어른 세대와는 다른 의미로 다가온다. 이처럼 개인의 경험은 세상을 바라보는 기준을 만든다. 그리고 그 기준은 미래를 만든다.

유현준, 『공간의 미래』

[문제 1-1]

(가)는 오래간만에 고향을 방문한 '그'의 사연을 다룬다. '그'의 심적 상태를 (나)를 활용하여 설명하시오. 글의 분량은 띄어쓰기를 포함하여 400(±100)자로 할 것. (25점)

[문제 1-2]

(다)는 밀레니얼 세대의 가상 공간 경험을 다룬다. (나)에 나오는 고향의 특성을 참고하여, (다)의 입장을 수용하거나 반박하면서 실제 장소로서의 고향에 대한 애착이 디지털 시대에 어떠한 의미를 지니게 될 것인지에 대한 자신의 견해를 제시하시오. 글의 분량은 띄어쓰기를 포함하여 400(±100)자로 할 것. (25점)

[문제 2] 다음 제시문을 읽고 아래 문제에 답하시오.

(가)

　다운스(Downs 1957)는 『민주주의 경제이론』라는 저서에서 선거 승리를 목표로 경쟁하는 두 정당이 좌우의 일차원적 정책 공간에서 경쟁할 경우, 중간에 위치한 투표자(중위 투표자) 입장으로 서로 수렴한다는 이론을 제시하였다. 다운스는 유권자들이 분명한 정책적 선호를 가지고 있으며 정당들의 정책 입장을 알고 있다고 가정하였다. 다운스는 또한 유권자들이 자신의 정책적 선호와 더 가까운 정책 입장을 제시하는 정당으로부터 더 큰 경제적인 효용을 느끼므로, 이러한 정당을 지지한다고 가정하였다. 이러한 가정이 충족된다면, 중도 입장을 취하는 정당은 급진적인 입장을 취하는 정당에 항상 승리한다. 예컨대, 한 정당이 중도 입장을 취하고 다른 정당은 좌파 입장을 취하면, 중도 입장을 취하는 정당은 중도 유권자와 우파 유권자의 지지를 얻을 수 있는 반면, 좌파 입장을 취하는 정당은 좌파 유권자의 지지만 얻을 수 있다. 따라서 정당들은 중도 입장이 선거에 유리하다는 사실을 알게 되고, 점점 온건한 입장을 취하게 되어 결국 두 정당 모두 중위 투표자 입장과 같은 입장을 취하게 된다.

(나)

　에이큰과 바르텔즈(Achen and Bartels 2016)는 현실주의자의 민주주의라는 저서에서 사람들은 경제 활동을 할 때와는 달리 정치 활동을 할 때 합리적인 판단을 하지 않는다고 주장한다. 에이큰과 바르텔즈는 유권자들이 분명한 정책적 선호를 가지고 있지 않으며 정당들의 정책 입장을 잘 알지 못한다고 주장한다. 그뿐만 아니라, 그들은 유권자들의 정책적 선호가 경제적 효용에 의해 결정된다는 다운스의 가정을 비판한다. 에이큰과 바르텔즈에 의하면, 유권자의 집단 정체성이 이들의 정치적 충성심을 형성하고, 이러한 정치적 충성심은 차례로 정치적 선호와 정당에 대한 선택을 결정한다. 유권자는 복잡한 이성적 판단보다는 간편한 감성적 판단에 더 의존하는 경향이 있다. 유권자의 생각을 바꾸기 위해서는 이성적인 설득보다 감정을 움직이는 것이 더 효과적이다. 그뿐만 아니라 인간은 자신의 생각과 다른 생각이 아무리 합리적이라고 할지라도, 이를 받아들이기보다는 거부하는 성향이 강하다. 유권자들은 소속 집단이 지지하는 정책이나 정당을 먼저 선택한 후 이러한 선택이 옳지 않다는 정보를 얻게 되어도 이를 거부하고 자신의 선택을 정당화시킨다.

(다)

　페티와 카시오포(Petty and Cacioppo 1986)는 대학교 졸업을 위해 졸업 시험 제도를 신설할 때, 학생들이 졸업 시험에 대한 어떠한 태도를 가지는가를 분석하였다. 이들은 학생들을 두 집단으로 분류하고 두 집단에게 졸업 시험의 필요성을 다르게 설명하였다. 첫 번째 집단에는 졸업 시험을 치르는 학교의 졸업생들이 더 높은 연봉을 받는다고 주장하였다. 두 번째 집단에는 다른 학교들도 졸업 시험을 치르니

형평성 차원에서 졸업 시험이 필요하다고 주장하였다. 페티와 카시오포는 학생들을 두 집단으로 나누어 한 집단에는 프린스턴 대학의 교수가 졸업 시험이 필요하다고 주장했다고 말한 반면 다른 집단에는 지방의 고등학교 교사가 이러한 주장을 했다고 말했다. 페티와 카시오포는 또한 학생들을 두 집단으로 나누어, 한 집단에는 졸업 시험 제도를 바로 시행한다고 말하고, 다른 집단에는 10년 뒤에 시행할 것이라고 말하였다.

이러한 실험 결과, 10년 뒤에나 졸업 시험 제도가 도입된다는 말을 들은 학생들의 찬반 여부는 졸업 시험의 필요성을 주장한 사람이 누구인가에 따라 갈라졌다. 졸업 시험의 필요성을 프린스턴 대학 교수가 주장했다는 말을 들은 학생들은 고등학교 교사가 주장했다는 말을 들은 학생보다 졸업 시험을 더 강하게 찬성하였다. 반면 졸업 시험 제도를 즉각적으로 시행할 것이라는 말을 들은 학생들은 졸업 시험의 유용성을 더 중시하였다. 졸업 시험이 더 높은 연봉에 도움이 된다는 말을 들은 학생들은 형평성 때문에 졸업 시험을 도입해야 한다는 말을 들은 학생보다 졸업 시험을 더 강하게 찬성하였다. 이러한 실험이 보여주는 바는 다음과 같다. 사람들은 직접적인 이해가 걸려 있는 사안에 대해서는 정보의 내용 자체를 중시하는 반면, 직접적인 이해가 걸려 있지 않은 사안에 대해서는 정보의 내용 자체와 상관없는 주변적인 단서에 집중한다.

(라)

영남 유권자들은 영남을 대표하는 보수 정당에 차별적인 지지를 보내고 호남 유권자들은 호남을 대표하는 진보 정당에 압도적인 지지를 보낸다. 이러한 지역주의 투표를 두고 학자들은 서로 다른 이론을 제시하였다. A 이론에 의하면, 영호남민들은 자신의 지역을 대표하는 정당이 집권했을 때 자신이 거주하는 지역이 경제적으로 발전하고 이로 인해 자신도 경제적 혜택을 입게 될 것을 기대하기 때문에 지역주의 투표를 한다. B 이론은 영호남 간의 지역감정 또는 편견 때문에 지역주의 투표가 발생했다고 주장한다. 백제와 신라 때부터 존재했던 영남민과 호남민 간 지역 감정 또는 편견이 지역주의 투표의 원인이라는 것이다. C 이론은 지역주의를 영호남민의 정책적 선호의 차이를 반영한 것으로 본다. 이 이론에 의하면, 영남민은 보수적인 정책을 선호하는 반면 호남민은 진보적인 정책을 선호하기 때문에, 이들이 각각 자신의 정책적 선호와 더 가까운 정당을 지지한 결과가 지역주의 투표 결과로 나타난 것이다. D 이론은 영호남민의 내집단에 대한 정서적 동질감과 외집단에 대한 거부감이 지역주의 투표로 이어진다고 본다. 이 이론에 의하면, 지역주의는 개개인의 운명을 지역 전체의 운명과 동일시하는 정치적 정체성의 발로이다.

[문제 2-1]
유권자의 정치적 태도에 대한 (가)와 (나)의 시각을 둘 이상의 차이점을 들어 비교하고, (다)를 통해 (가)와 (나)의 시각을 각각 비판하시오. 글의 분량은 띄어쓰기를 포함하여 400(±100)자로 할 것. (25점)

[문제 2-2]
 (라)의 A~D 이론들이 각각 유권자의 정치적 태도에 대한 (가)와 (나)의 시각 중 어떤 시각과 부합하는가를 설명하시오. 글의 분량은 띄어쓰기를 포함하여 400(±100)자로 할 것. (25점)

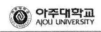

아주대학교
AJOU UNIVERSITY

답안지(자연계)

| 지원 학과 (전공) | 수 험 번 호 | 주민등록번호앞자리(예:940512) |

※감독관 확인란

(서명)

성   명

- 유의사항 -

① 논술답안은 검정색 볼펜으로만 작성하십시오.(빨강이나 파랑색 사용금지)

② 답안지의 문항번호를 확인 후 답안을 작성하십시오.

【1 - 1】 답안   (반드시 해당 문제와 일치하여야 함)

40

80

120

160

200

240

280

320

360

400

440

이 줄 아래에 답안을 작성하거나 낙서할 경우 판독이 불가능하여 채점 불가

【1 - 2】 답안　　(반드시 해당 문제와 일치하여야 함)

															40
															80
															120
															160
															200
															240
															280
															320
															360
															400
															440

【2 - 1】답안　　(반드시 해당 문제와 일치하여야 함)

【2 - 2】 답안	(반드시 해당 문제와 일치하여야 함)

6. 2022학년도 아주대 모의 논술

[문제 1] 다음 제시문을 읽고 아래 문제에 답하시오.

(가)

임시 치안대 사무소로 쓰고 있는 집 앞에 이르니, 웬 청년 하나가 포승에 꽁꽁 묶이어 있다.

이 마을에서 처음 보다시피 하는 젊은이라, 가까이 가 얼굴을 들여다보았다. 깜짝 놀랐다. 바로 어려서 단짝동무였던 덕재가 아니냐.

천태에서 같이 온 치안대원에게 어찌 된 일이냐고 물었다. 농민동맹 부위원장을 지낸 놈인데 지금 자기 집에 잠복해 있는 걸 붙들어 왔다는 것이다.

성삼이는 거기 봉당 위에 앉아 담배를 피워 물었다.

덕재를 청단까지 호송하기로 되었다. 치안대원 청년 하나가 데리고 가기로 됐다.

성삼이가 다 탄 담배꼬투리에서 새로 담뱃불을 댕겨 가지고 일어섰다.

"이 자식은 내가 데리구 가지요."

덕재는 한결같이 외면한 채 성삼이 쪽은 보려고도 하지 않았다.

동구 밖을 벗어났다.

성삼이는 연거푸 담배만 피웠다. 담배맛은 몰랐다. 그저 연기만 기껏 빨았다 내뿜곤 했다. 그러다가 문득 이 덕재 녀석도 담배 생각이 나려니 하는 생각이 들었다. 어려서 어른들 몰래 담모퉁이에서 호박잎 담배를 나눠 피우던 생각이 났다. 그러나 오늘 이깟놈에게 담배를 권하다니 될 말이냐.

(중략)

고갯길에 다다랐다. 이 고개는 해방 전 해 성삼이가 삼팔 이남 천태 부근으로 이사 가기까지 덕재와 더불어 늘 꼴 베러 넘나들던 고개다.

성삼이는 와락 저도 모를 화가 치밀어 고함을 질렀다.

"이 자식아, 그동안 사람을 몇이나 죽였냐?"

그제야 덕재가 힐끗 이쪽을 바라다보더니 다시 고개를 거둔다.

"이 자식아, 사람 몇이나 죽였어?"

덕재가 다시 고개를 이리로 돌린다. 그리고는 성삼이를 쏘아본다. 그 눈이 점점 빛을 더해 가며 제법 수염발 잡힌 입 언저리가 실룩거리더니,

"그래 너는 사람을 그렇게 죽여 봤니?"

이 자식이! 그러면서도 성삼이의 가슴 한복판이 환해짐을 느낀다. 막혔던 무엇이 풀려 내리는 것만 같은.

(이어지는 내용: 덕재가 사람을 죽인 일이 없다는 데 마음이 풀린 성삼이는 덕재의 사연을 듣는다. 성삼이는 덕재가 아무런 이념적 동조 없이 빈농이라는 이유만으로 농민동맹 부위원장직을 맡게 되었으며 농사일밖에 모르는 순박한 농민임을 확인한다. 덕재가 성삼이도 잘 아는 같은 동네 처녀 꼬맹이와 결혼을 했고, 올해 가을이

면 꼬맹이가 첫애를 낳는다는 말에 성삼이는 웃음을 겨우 참기도 한다. 반년 전부터 병석에 앓아누우신 아버지 때문에 피난을 가지 못했다는 덕재의 말에, 성삼이는 농사밖에 모르는 자신의 아버지와 어린 처자를 떠올린다.)

고개를 다 내려온 곳에서 성삼이는 주춤 발걸음을 멈추었다.

저쪽 벌 한가운데 흰옷을 입은 사람들이 허리를 굽히고 섰는 것 같은 것은 틀림없는 학떼였다. 소위 삼팔선 완충지대가 되었던 이곳. 사람이 살고 있지 않은 그동안에도 이들 학들만은 제대로 살고 있은 것이었다.

지난날 성삼이와 덕재가 아직 열두 살쯤 났을 때 일이었다. 어른들 몰래 둘이서 올가미를 놓아 여기 학 한 마리를 잡은 일이 있었다. 단정학이었다. 새끼로 날개까지 얽어매 놓고는 매일같이 둘이서 나와 학의 목을 쓸어안는다, 등에 올라탄다, 야단을 했다. 그러한 어느 날이었다. 동네 어른들의 수군거리는 소리를 들었다. 서울서 누가 학을 쏘러 왔다는 것이다. 무슨 표본인가를 만들기 위해서 총독부의 허가까지 맡아 가지고 왔다는 것이다. 그 길로 둘이는 벌로 내달렸다. 이제는 어른들한테 들켜 꾸지람 듣는 것 같은 건 문제가 아니었다. 그저 자기네의 학이 죽어서는 안 된다는 생각뿐이었다. 숨 돌릴 겨를도 없이 잡풀 새를 기어 학 발목의 올가미를 풀고 날개의 새끼를 끌렀다. 그런데 학은 잘 걷지도 못하는 것이다. 그동안 얽매여 시달린 탓이리라. 둘이서 학을 마주 안아 공중에 투쳤다. 별안간 총소리가 들렸다. 학이 두서너 번 날갯짓을 하다가 그대로 내려왔다. 맞았구나. 그러나 다음 순간, 바로 옆 풀숲에서 펄럭 단정학 한 마리가 날개를 펴자 땅에 내려앉았던 자기네 학도 긴 목을 뽑아 한번 울음을 울더니 그대로 공중에 날아 올라, 두 소년의 머리 위에 둥그러미를 그리며 저쪽 멀리로 날아가 버리는 것이었다. 두 소년은 언제까지나 자기네 학이 사라진 푸른 하늘에서 눈을 뗄 줄을 몰랐다…….

"얘, 우리 학사냥이나 한번 하구 가자."

성삼이가 불쑥 이런 말을 했다.

덕재는 무슨 영문인지 몰라 어리둥절해 있는데,

"내 이걸루 올가밀 만들어 놓게 너 학을 몰아 오너라."

포승줄을 풀어 쥐더니, 어느새 성삼이는 잡풀 새로 기는 걸음을 쳤다.

대번 덕재의 얼굴에서 핏기가 걷혔다. 좀 전에, 너는 총살감이라던 말이 퍼뜩 머리를 스치고 지나갔다. 이제 성삼이가 기어가는 쪽 어디서 총알이 날아오리라.

저만치서 성삼이가 홱 고개를 돌렸다.

"어이, 왜 멍추같이 게 섰는 게야? 어서 학이나 몰아 오너라!"

그제서야 덕재도 무엇을 깨달은 듯 잡풀 새를 기기 시작했다.

때마침 단정학 두세 마리가 높푸른 가을 하늘에 큰 날개를 펴고 유유히 날고 있었다.

— 황순원, 〈학〉

(나)

아리스토텔레스의 《니코마코스 윤리학》에는 우정의 중요성을 분석한 부분이 있습니다. 아리스토텔레스는 우정을 세 유형으로 구분하는데요, 효용성에 토대를 둔 우정과 즐거움을 토대로 한 우정, 그리고 효용성이 아닌 선(善)에 토대를 둔 고귀한 우정이 그것입니다.

먼저 효용성에 토대를 둔 우정의 가장 뚜렷한 사례는 우리가 링크드인 같은 비즈니스 인맥 사이트에서 맺는 관계입니다. 이 관계의 목적은 직업과 관련된 인맥을 맺는 것이지요. 본질적으로 효용성을 추구하는 활동입니다. 관계를 통해 서로에게 혜택을 주지만, 오로지 얻을 이득이 있을 때에만 가치가 있으므로 순전히 도구적인 관계입니다. 이런 관계에는 본질적인 가치는 없고 오직 효용적인 가치만 있습니다.

즐거움을 토대로 한 우정도 비슷합니다. 단지 관계를 지속하는 힘이 경제적·사회적 이득이 아니라 유쾌한 감정에 있다는 점만 다를 뿐이지요. 일단 재미있고 유쾌하기 때문에 관계를 시작하지만, 언제든 그런 감정이 없어지면 굳이 관계를 이어갈 이유가 사라집니다. 아리스토텔레스에 따르면 효용성과 즐거움을 토대로 한 우정은 진정한 의미의 우정이 아닙니다. 오로지 도구적인 관점에서만 그 관계가 유지되기 때문이지요. 반면 고귀한 우정은 효용성이나 즐거움 같은 이익이 아니라, 그저 상대방이 잘되기를 바라는 마음에서 비롯됩니다. 달리 말해, 고귀한 우정은 그 자체로 좋습니다.

효용성과 즐거움 같은 도구적 가치는 '우연적'인 것들입니다. 운이 좋다면 우정을 통해서 얻을 수 있지만, 그렇다고 그런 도구적 가치가 우정의 본질을 정의할 수는 없습니다. 그 성격을 정의하는 것은 오직 본질적 가치뿐입니다. 예를 들어, 어떤 학생이 하루에 45분씩 운동을 했을 때 학습 능력이 향상되는 것은 우연적 가치지만, 우리가 몸을 움직이고 활동을 해서 건강을 유지하는 것은 훨씬 본질적인 것입니다.

어쩌면 인간은 이익이 되든 안 되든 상관하지 않고, 상대가 잘되기를 바라는 소망만을 토대로 우정을 쌓을 수 있는 유일한 생물일 것입니다. 다른 많은 종이 맺는 복잡한 사회적 관계의 토대는 지배와 번식이지요. 그런데 아마 몇몇 분들은 인간에게 과연 비도구적 관계를 맺을 능력이 있는지 의심할지도 모르겠습니다. 예를 들어 허무주의자라면 우정은 그 자체로 의미가 없다고, 인간 역시 우정을 통해 다른 무언가를 얻으려 할 뿐이라고 주장할 것입니다.

그러나 아리스토텔레스는 비도구적 관계가 가능하다고 말합니다. 그런 관계를 맺는 능력이야말로 인간을 정의하는 본질적인 특징이라 말하지요. 비도구적 관계가 가능하지 않다면 우리는 다른 동물과 다를 바가 없는, 그저 진화가 많이 된 원숭이에 불과할 테니까요.

— 스벤 브링크만, 《철학이 필요한 순간》

(다)

인터넷의 가능성과 위험성에 대한 논쟁은 오랫동안 계속되어 왔다. 비판론자들은 컴퓨터 매개 의사소통(CMS)이라고 하는 인터넷 의사소통이 면대면 사회적 상호작용에서 발견되지 않는 새로운 문제들을 야기한다고 여긴다. 카츠(Katz)와 그의 동료들은 다음과 같이 말하고 있다. "타이핑을 하는 것은 인간적인 것이 되는 것이 아니며, 사이버 공간에 있다는 것은 실재하는 것이 아니다. 모든 것은 가식이고 소외이며 실재에 대한 대체다." 이러한 견해를 지지하는 사람들은 사용자가 가명 뒤에 숨는 것을 컴퓨터 매개 의사소통 기술이 막을 수 없다고 주장한다. 이는 속임수, 사기, 괴롭힘, 조작, 정서적 협잡 및 아동 성매매 유인 행위를 야기한다. 결과적으로 상호 신뢰는 점점 희미해지고 온라인 환경에서뿐만 아니라 보다 넓은 사회 전체로 확산된다. 간접적인 온라인 의사소통은 고립을 강화시키고 오래 지속되는 진정한 우정을 피상적인 온라인 접촉으로 대체시키는 경향이 있다.

반면에 인터넷 추종자들은 온라인 상호작용이 전통적인 상호작용에 비해 몇 가지 장점이 있다고 주장한다. 신체적 공존은 보다 넓은 범위의 감정과 의미의 미묘한 변화를 보여줄 수 있지만, 말하는 사람의 나이, 성, 인종과 사회적 지위 등 낙인을 찍고 차별할지도 모르는 정보를 전달할 수 있다. 전자 통신은 이러한 신분을 드러내는 대부분 또는 모든 징표를 감춰 주기 때문에 메시지의 내용에만 주의가 집중되도록 한다. 이는 공공 상황에서 의견이 평가 절하된 소수 민족, 여성, 그 밖에 전통적으로 불이익을 받아 온 집단들에게는 큰 이점이 될 수 있다.

낙관론자들은 인터넷 이용자들이 비이용자들에 비해 전화나 대면과 같은 기존 수단을 통해서도 다른 사람들과 의사소통하는 경향이 강하다고 주장한다. 따라서 사회적 고립을 증가시키고 신뢰를 파괴하기는커녕 이메일, 블로깅, 채팅방과 소셜 미디어는 의사소통이나 우정을 만드는 새로운 기회를 제공할 수도 있다. 전자적 상호작용은 사람들이 자신의 온라인 정체성을 만들어 내고 다른 곳에서보다 더 자유롭게 말할 수 있기 때문에 자유롭고 힘 있게 행동할 수 있다는 것이다.

— 앤서니 기든스·필립 서튼, 《현대 사회학》

[문제 1-1]

제시문 (가)는 6.25를 배경으로 이념 대립을 우정의 힘으로 극복하는 과정을 다룬다. 제시문 (나)에 나온 세 가지 우정(관계)을 활용하여 '성삼'의 심적 변화를 단계를 나누어 설명하시오. 글의 분량은 띄어쓰기를 포함하여 500(±150)자로 할 것.(25점)

[문제 1-2]

제시문 (다)는 온라인 의사소통의 양면성을 다룬다. 제시문 (가) 또는 (나)를 활용하여 온라인 의사소통이 인간관계에 긍정적 영향을 미칠지 또는 부정적 영향을 미칠지에 관한 자신의 견해를 펼치시오. 글의 분량은 띄어쓰기를 포함하여 500(±150)자로 할 것.(25점)

[문제 2] 다음 제시문을 읽고 아래 문제에 답하시오.

(가)

　살인사건 현장을 배회하는 두 용의자를 체포했으나, 이들을 살인죄로 기소하기 위해서는 이들의 자백이 필요하다. 검사는 갑과 을이라 불리는 두 용의자에게 다음과 같은 제안을 한다. 둘 중에 한 사람만 자백하면, 자백하지 않은 범인은 10년을 살고 자백한 범인은 석방된다. 두 사람 모두 자백하면 각각 5년형을 산다. 두 용의자로부터 자백을 얻어내는데 실패하면 검사는 가벼운 처벌 밖에 할 수 없다. 만약 두 용의자가 서로 협력해서 함구하면 1년형만 얻게 된다. 이러한 상황에서 갑은 어떠한 선택을 할 것인가를 고민한다. 만약 을이 자백을 했다면, 갑이 함구하면 중형을 받게 되므로 갑은 자백하는 것이 낫다. 만약 을이 함구했다 해도 갑이 자백하면 자신이 석방되므로 갑은 자백하는 것이 낫다. 따라서 을이 어떠한 결정을 내려도 갑은 자백하는 것이 낫다. 을의 입장은 갑의 입장과 마찬가지이므로, 갑의 결정과 상관없이 을도 자백하는 것이 낫다. 따라서 갑과 을 모두 자백하게 되어, 둘 모두 5년형을 살게 된다.

(나)

　누구나 자유롭게 양에게 풀을 먹을 수 있는 공유지가 있다. 자신의 이익만을 생각한다면 최대한 많은 양을 풀어서 풀을 먹여야 한다. 모든 사람이 이렇게 행동한다면 공유지는 금세 황폐화되고 양들은 굶어 죽는다. 현재 우리 앞에 닥친 비극인 기후변화는 이러한 공유지의 비극의 한 예로 볼 수 있다. 전기를 지속적으로 생산하려면 화력발전소를 돌려야 한다. 그 과정에서 매연, 공해, 미세먼지 등 심각한 오염이 일어나기도 한다. 그로 인해 발생하는 미세먼지들로 대기오염과 함께 호흡기 질환도 동반될 수 있다. 환경오염이 지구 온난화를 가속시키기 때문에 화력발전소를 덜 돌려야 한다. 탄소포인트제는 환경오엄과 지구온난화를 억세하기 위한 제도이다. 이 제도는 가정, 상업 등의 전기, 상수도, 도시가스 및 지역난방 등의 사용량 절감에 따른 온실가스 감축률에 따라 포인트를 발급하고 이에 상응하는 인센티브를 제공하는 프로그램이다.

(다)

　살오징어를 포함한 13개 어종의 수산자원 보호 강화와 이를 위반하는 비어업인에게 과태료를 부과하는 조치를 담은 수산자원관리법 시행령 개정안이 9월 15일에 국무회의를 통과했다. 금어기·금지체장 강화는 자원남획 등으로 연근해 어업생산량이 지속 감소함에 따라 산란기 어미물고기와 어린물고기를 보호하기 위한 조치다. 금어기는 특정 어종의 포획·채취가 금지되는 기간을, 금지체장은 특정 어종의 포획·채취가 금지되는 몸길이를 말한다. 이번 수산자원관리법 시행령 개정안은 어업 현장에서 제기한 자원관리의 필요성과 전문가 의견을 토대로 ① 자원관리가 필요한 어종의 금어기와 금지체장을 조정하고, ② 비어업인이 금어기·금지체장 등을 위반한 경우의 과태료 부과기준을 정하며, ③ 어린 물고기 보호를 위해 근해안강망 조업 금지구역을 설정하는 내용을 담고 있다. (근해안강망 조업이란 동력어선을 사용하여 조류가 빠른 해역에서 긴 자루모양의 그물을 닻으로 일시적으로 고정시켜 놓고 조류에 밀려 그물 안에 들어온 대상물을 잡는 방식을 말한다).

(라)

집단행동이란 집단이 어떤 결과를 얻기 위해 집단에 소속된 개개인의 행동을 필요로 하는 상황을 의미한다. 예컨대, 한 후보를 지지하는 사람들은 이 후보를 당선시키기 위해 투표에 참여해야 한다. 집단행동에 참여하면, 개인은 다양한 수고와 비용을 치러야 한다. 예컨대, 투표 참가자들은 투표일에 놀러가거나 돈을 벌기 위해 일을 하는 대신 투표를 위해 소비한 시간과 수고를 감수해야한다. 모든 사람이 집단행동에 참여하면, 집단행동 참가자들이 원하는 목적을 달성할 가능성이 높아진다. 한 후보를 지지하는 유권자들이 투표에 참여할수록, 이 후보가 승리할 가능성이 높아진다. 그러나 사람들은 집단행동에 참가할 동기가 약하다. 왜냐하면, 집단행동 참여로부터 기대할 수 있는 이익보다 지불해야 하는 비용이 더 크기 때문이다. 예컨대, 대통령 선거에서 한 사람이 투표에 참여한다고 해서 투표결과를 바꿀 가능성은 희박하고 자신이 원하는 대통령이 당선되어도 자신에게 돌아올 이익은 불분명하다. 따라서 사람들은 다른 사람들이 집단행동에 참여해서 얻는 이익에 편승해서, 집단행동이 가져다주는 이익을 얻으려 한다. 모든 사람이 똑같은 생각을 한다면, 어떤 사람도 집단행동이 가져다주는 이익을 얻을 수 없게 된다.

[문제 2-1]
(나), (다), (라)에서 서술된 문제들의 공통점과 이러한 문제들이 발생하는 이유를 (가)를 통해 설명하시오. 글의 분량은 띄어쓰기를 포함하여 400(±100)자로 할 것. (25점)

[문제 2-2]
(나)와 (다)에서 공통적으로 발생할 수 있는 문제를 해결하기 위한 방법으로 제시된 방법들의 공통점과 차이점을 설명하고, (나)와 (다)에서 각각 제시된 두 방법을 모두 적용해서 (라)에서 투표를 촉진하기 위한 방안을 제시하시오. 글의 분량은 띄어쓰기를 포함하여 400(±100)자로 할 것. (25점)

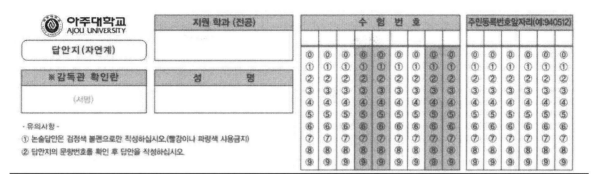

【1 - 1】답안   (반드시 해당 문제와 일치하여야 함)

40

80

120

160

200

240

280

320

360

400

440

이 줄 아래에 답안을 작성하거나 낙서할 경우 판독이 불가능하여 채점 불가

【1 - 2】답안　　　（ 반드시 해당 문제와 일치하여야 함)

40

80

120

160

200

240

280

320

360

400

440

【2 - 1】 답안   (반드시 해당 문제와 일치하여야 함)

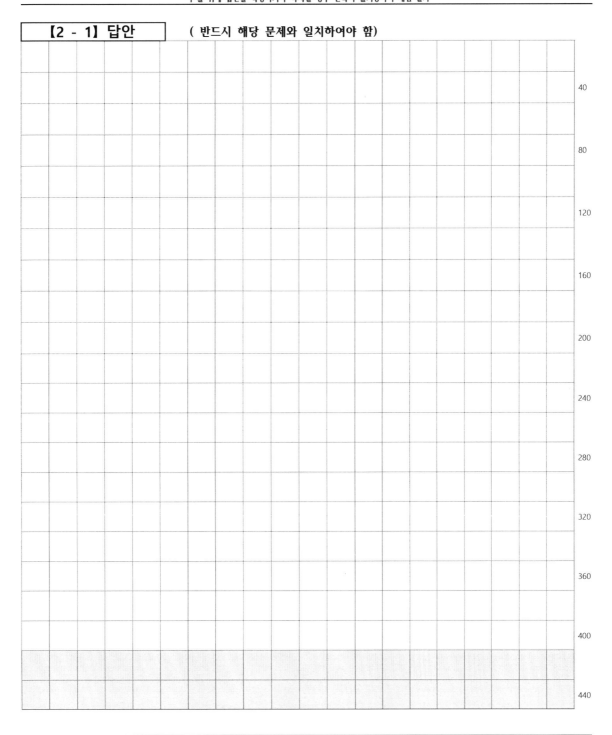

40

80

120

160

200

240

280

320

360

400

440

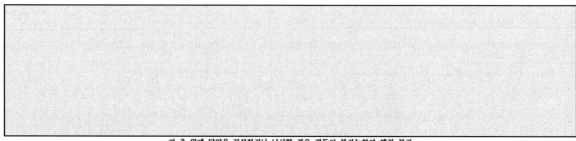

【2 – 2】답안   (반드시 해당 문제와 일치하여야 함)

7. 2021학년도 아주대 수시 논술 (오전)

[문제 1] 다음 제시문을 읽고 아래 문제에 답하시오.

(가)

'극장의 비유'는 동일한 시간과 공간에서 경쟁이 사회적으로 어떤 영향을 끼칠 수 있는지를 포착할 수 있는 비유다. 어느 도시에 영화를 즐겁게 감상할 수 있는 계단식 극장이 있다. 세계적 인기를 누리는 남녀 주인공의 멋진 사랑을 다룬 영화다. 사람들이 가득 찼다. 영화는 시작되었고 모두들 가만히 앉아서 조용히 영화를 보기 시작했다. 그런데 얼마 지나지 않아 갑자기 맨 앞줄의 누군가가 벌떡 일어섰다. 자기 혼자만 주인공의 멋진 모습을 좀 더 잘 보기 위해서였다. 그 옆에 앉아 있던 사람들도 "나도..."라고 말하며 일어서서 영화를 보기 시작했다. 그러니 그 뒷줄에 앉아 있던 사람들은 갑자기 영화를 잘 볼 수 없게 되었다. 그 순간에 바로 앞줄 사람들에게 "좀 앉으시라"고 부탁할 수도 있었지만 혹시 결례가 되거나 보복을 당할까봐, 그리고 짜증도 나고 귀찮기도 해서 자기도 그냥 일어서 버렸다. 약 30분 늦게 극장에 들어온 사람이 "어? 내가 잘못 들어왔나?" 할 정도로 이상하다. 모두 일어서서 영화를 보고 있었기 때문이다.

그런데 좀 있다가 맨 앞줄 사람이 의자 위에 올라가서 영화를 보기 시작한다. 자기 혼자만 영화를 더 잘 보기 위해서였다. 이제 그 옆 사람도 의자 위에 올라간다. 둘째 줄, 셋째 줄, 넷째 줄, 그런 식으로 모든 사람들이 의자 위에 올라가서 영화를 본다. 만약 사람들이 이 영화관 속의 사람들을 보았다면 아마도 "미친 사람들"이라 했을지 모른다. 이런 식으로 "나 혼자만" 잘살겠다는 이기적 행동이 온 사회를 미친 사회로 만들 수 있다. 오늘날 생존경쟁이 바로 그러한 속성을 갖고 있다. 나 혼자만 잘살고자 상대방을 적대시하는 경쟁, 그런 '적대적 경쟁'의 구도 위에서는 어느 누구도 참된 인간성을 누리며 행복하게 살기는 어렵다.

                                                    - 강수돌, 팔꿈치 사회

(나)

벼는 서로 어우러져
기대고 산다.
햇살 따가워질수록
깊이 익어 스스로를 아끼고
이웃들에게 저를 맡긴다.

서로가 서로의 몸을 묶어
더 튼튼해진 백성들을 보아라.
죄도 없이 죄지어서 더욱 불타는
마음들을 보아라. 벼가 춤출 때,
벼는 소리 없이 떠나간다.

벼는 가을 하늘에도
서러운 눈 씻어 맑게 다스릴 줄 알고
바람 한 점에도
제 몸의 노여움을 덮는다.
저의 가슴도 더운 줄을 안다.

벼가 떠나가며 바치는
이 넓디넓은 사랑,
쓰러지고 쓰러지고 다시 일어서서 드리는
이 피 묻은 그리움,
이 넉넉한 힘……

이성부, 「벼」

(다)

 '경쟁'이란 말은 기본적으로 서로에게 영향을 미치는 말이다. '자신과의 경쟁'이라는 말은 의미를 너무 확장한 것으로, 그 단어가 뜻하는 범위를 넘어선 것이라 볼 수 있다. 더욱이 그러한 부정확한 표현은 때때로 경쟁이 필연적이고 좋은 것이라는 인상을 주고자 할 때 이용된다. 즉 자신의 한계를 넘어서려고 노력하는 것도 어쨌든 일종의 경쟁이고, 게다가 누구의 실패도 야기하지 않으므로 경쟁은 그다지 나쁘지 않다는 논리를 펴는 것이다. 물론 이런 주장은 의미 있는 경쟁 옹호론이 아니라 단지 말장난일 뿐이다.

 '협력'은 단지 비경쟁을 뜻하는 것이 아니다. 어떤 목표를 달성하기 위해 함께 일할 것을 요구하는 일종의 제도를 의미한다. 구조적 협력이란 우리가 힘을 모아 함께 노력해야만 한다는 뜻이다. 왜냐하면 나의 성공은 당신이 성공하는 경우에만 가능하며, 그 반대도 마찬가지이기 때문이다. 노력의 대가는 개인이 아니라 집단의 성취에 의해 결정된다. 요컨대 협력적인 교실이란 단지 학생들을 함께 앉히거나, 서로 얘기하도록 하거나, 자료를 공유하도록 한다고 만들어지는 것이 아니다. 그것이 의미하는 바는, 어떤 일의 성취는 개인이 아니라 그 반의 모든 학생들에게 달려 있으므로 그들은 서로 상대방이 잘 되기를 바라는 마음을 가져야 한다는 뜻이다.

 협력이라고 하면 사람들은 흔히 개념이 모호한 어떤 이상주의와 연관하여 생각하거나, 기껏해야 아주 소수의 사람들이 모인 경우에나 가능한 것으로 여긴다. 이것은 협력과 이타주의를 혼동하기 때문이다. 협력에서는 서로 돕는 것이 가장 중요하며, 반면 경쟁에서는 '자신의 이익'만을 추구하면 되기 때문에 개인의 성공을 위해서는 경쟁이 훨씬 유리하다고 생각하기 쉽지만, 그것은 절대 진실이 아니다. 구조적 협력은 흔히들 생각하는 '이기주의가 아니라면 이타주의'라는 식의 이분법에 맞서는 개념이다. 그것은 상대방을 돕는 것과 스스로를 돕는 일이 동시에 일어날 수 있도록 해준다. 비록 처음의 동기는 이기심이었다고 해도, 협력은 서로를 같은 운명으로 묶어준다. 협력은 현명하며 매우 성공적인 전략이다. 직장이나 학교에서 경쟁하는 것보다 훨씬 더 좋은 결과를 내는 실용적인 선택이며, 타인과의 경쟁 없이도 자신의 능력을 실험하고 즐길 수 있는 놀이를 만들어내는 기초가 된다. 협력이 정신 건강에 좋은 영향을 끼치며, 서로에게 호감을 가질 수 있도록 도와준다는 많은 증거들이 있다.

알피 콘, 『경쟁에 반대한다.』

[문제 1-1]
(가)와 (나)는 목표를 달성하는 상반된 방법을 보여준다. 두 가지 방법을 비교하시오. 글의 분량은 띄어쓰기를 포함하여 400(±100)자로 할 것. (25점)

[문제 1-2]
(가)의 목표 달성 방법이 지니는 문제점을 지적하고, 그에 대한 해결책을 (다)를 활용하여 제시하시오. 글의 분량은 띄어쓰기를 포함하여 400(±100)자로 할 것. (25점)

[문제 2] 다음 제시문을 읽고 아래 문제에 답하시오.

(가)

호남은 '푸른색' 영남은 '분홍색'… 지역주의 벽 더 높아졌다.

민주당은 호남 의석을, 미래통합당은 영남 의석을 싹쓸이할 것으로 보인다. 16일 0시 10분 현재 전국 개표율 69.5% 상황에서 호남 28개 지역구 중에서 27곳에서 민주당 후보들이 득표율 1위를 차지하고 있다. TK(대구·경북) 25곳 중에선 미래통합당 후보들이 24곳에서 가장 높은 득표율을 기록 중이다. PK(부산·경남) 34곳에서는 미래통합당 후보들이 26개 선거구에서 큰 격차로 선두를 달리고 있다. 이에 21대 총선에도 지역주의를 벗어나지 못했다는 지적이 나온다.

[출처: 중앙일보]

(나)

'통합당 심판' 현실화됐을 뿐, 21대 총선 '지역주의' 는 오해.

3일 중앙선거관리위원회가 집계한 전국 시군구 250곳의 정당득표율 결과를 보면 민주당은 부산·대구 지역에서 고전했지만 전국적으로 득표율 상승을 이끌어낸 것으로 나타났다. 4년 전 총선에 비해 부산 지역의 정당득표율은 1.7%p 상승했고, 0.07%p 하락한 대구에서도 수성구 달서구를 제외하면 나머지 6곳에서 모두 득표율이 올랐다. 열세 지역인 경북·경남에서도 민주당은 4년 전에 비해 각각 3.25%p, 1.24%p씩 득표율을 끌어올렸다.

[출처: 경향신문]

(다)

제시문 (가)와 (나)에서와 같이 언론에서는 두 정당이 자신을 지지하는 지역에서 집중적인 지지를 얻은 정도를 지역주의 투표라 부른다. 아래의 〈표〉는 미래통합당이 전국득표율에 비해 영남에서 얻은 정당득표율이 더 높은 정도(a)와 민주당이 전국득표율에 비해서 호남에서 얻은 득표율이 더 높은 정도(b)를 보여준다. 예를 들어, 21대 총선에서 미래통합당이 영남에서 얻은 정당득표율은 전국득표율에 비해 13.5%p만큼 더 높았고, 민주당의 호남에서의 정당득표율은 전국득표율보다 17.8%p 더 높았다.

그러나 영호남민의 지역정당에 대한 지지는 지역주의적 요소뿐만 아니라 이념적인 요소가 섞여서 나타난 결과이다. 달리 말하면, 두 정당의 영호남에서의 지지는 영남민과 호남민의 이념성향의 차이 때문에 발생한 것이기도 하다. 영남민은 진보적인 유권자보다 보수적인 유권자들이 더 많기 때문에 보수적인 미래통합당을 더 지지한다. 영남에서 보수적인 유권자가 진보적인 유권자보다 더 많은 정도(c) 때문에 초래되는 미래통합당에 대한 차별적인 지지는 지역주의 투표가 아니라 이념투표의 결과로 봐야 한다. 마찬가지로, 호남에서는 진보적인 유권자가 보수적인 유권자보다 더 많기 때문에 민주당을 더 지지한다.

따라서 영호남민이 자신의 지역정당에 보내는 차별적인 지지와 지역주의 투표는 서로 구분해야 한다. 지역주의 투표는 지역정체성, 지역적인 혜택에 대한 기대, 지역감정과 같은 지역주의적인 요인 때문에 지역정당에 투표를 하는 것을 의미한다. 지역주의 투표 정도를 파악하기 위해서는 영호남민이 자신의 지역정당에 보내는 차별적인 지지에서 영호남민의 이념 차이 때문에 발생하는 지지 차이를 차감한 나머지를 계산해야 한다. 예컨대, <표>에서 영남 지역주의 투표는 (a)-(c)로 계산되고, 호남 지역주의 투표는 (b)-(d)로 계산될 수 있다.

<표> 영호남민의 차별적 지역정당 지지와 이념적 구성 비율 차이

지역	지역정당에 대한 차별적 지지 (지역득표율-전국득표율)		이념적 구성차이 영남: 보수 우세 정도 호남: 진보 우세 정도		지역주의 투표정도 영남: (a)-(c) 호남: (b)-(d)	
	영남 (a)	호남 (b)	영남 (c)	호남 (d)	영남 (e)	호남 (f)
15대 대선	21.5%p	54.0%p	6.2%p	0.0%p	15.3%p	54.0%p
16대 총선	17.0%p	29.4%p	-3.1%p	23.0%p	20.1%p	6.5%p
16대 대선	23.4%p	44.2%p	-6.7%p	27.5%p	30.1%p	16.7%p
17대 총선	16.3%p	25.0%p	0.3%p	44.4%p	16.0%p	-19.4%p
17대 대선	16.0%p	30.3%p	13.3%p	18.7%p	2.6%p	11.6%p
18대 총선	19.2%p	28.2%p	25.6%p	14.1%p	-6.4%p	14.1%p
19대 총선	16.6%p	21.2%p	25.8%p	22.5%p	-9.2%p	-1.3%p
18대 대선	19.2%p	40.8%p	16.6%p	-0.7%p	2.7%p	41.4%p
20대 총선	13.5%p	26.7%p	11.5%p	19.0%p	2.0%p	7.7%p
19대 대선	14.7%p	27.5%p	7.6%p	24.0%p	7.1%p	3.4%p
21대 총선	13.5%p	17.8%p	0.0%p	17.8%p	13.5%p	0.0%p
평균	17.3%p	31.4%p	8.8%p	19.1%p	8.5%p	12.2%p

[문제 2-1] ① (가)와 (나)가 지역주의 투표에 대해 주장하는 바에 대한 차이점을 기술하고, ② (가)와 (나)가 지역주의 투표를 바라보는 시각의 공통점이 무엇인가를 (다)를 통해 기술하시오. ③ <표>의 자료를 근거로, 21대 총선 당시 영남에서의 지역주의가 심화되지 않았다는 (나)의 주장의 타당성을 평가하시오. 글의 분량은 띄어쓰기를 포함하여 400(±100)자로 할 것. (25점)

[문제 2-2] ① <표>에서 21대 총선 당시 지역주의 투표가 영남과 호남 중 어떤 지역에서 더 강하게 나타났는가를 서술하시오. ② 영남민의 미래통합당에 대한 지지와 호남민의 민주당에 대한 지지의 특성이 어떻게 다른가를 <표>의 이념적 구성 차이와 지역주의 투표 정도를 통해 설명하시오. ③ 지역주의 투표는 증가해도 지역정당에 대한 차별적인 지지가 감소할 수 있는 이유를 19대 대선과 21대 총선 결과를 비교해서 설명하시오. 글의 분량은 띄어쓰기를 포함하여 400(±100)자로 할 것. (25점)

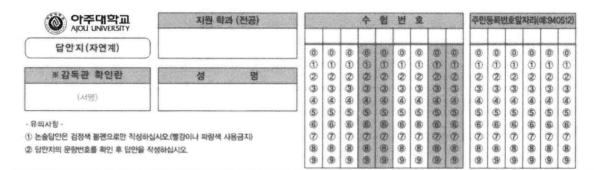
【1 - 1】답안   (반드시 해당 문제와 일치하여야 함)

40

80

120

160

200

240

280

320

360

400

440

이 줄 아래에 답안을 작성하거나 낙서할 경우 판독이 불가능하여 채점 불가

【1 - 2】 답안　　　(반드시 해당 문제와 일치하여야 함)

40

80

120

160

200

240

280

320

360

400

440

【2 - 1】 답안　　(반드시 해당 문제와 일치하여야 함)

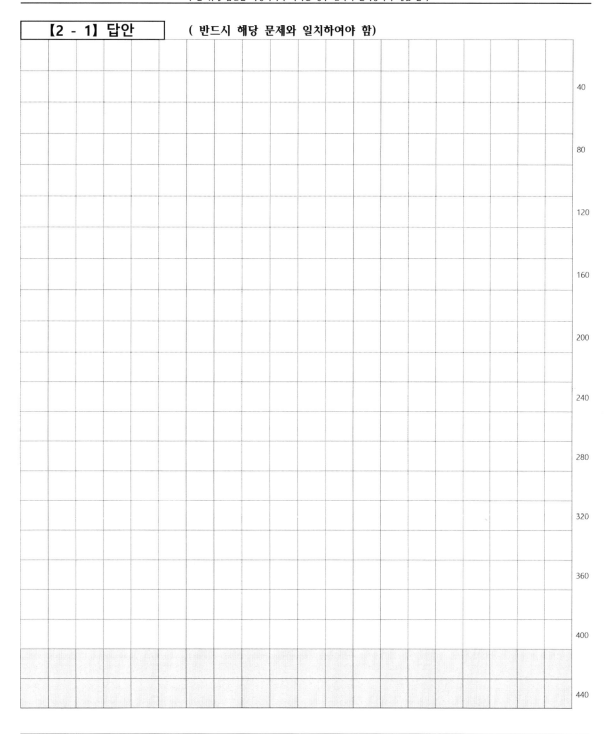

40

80

120

160

200

240

280

320

360

400

440

【2 - 2】답안　　　(반드시 해당 문제와 일치하여야 함)

8. 2021학년도 아주대 수시 논술 (오후)

[문제 1] 다음 제시문을 읽고 아래 문제에 답하시오.

(가)

어른이 되어서도 나는 혼자다. 하지만 이제는 더 이상 혼자라는 사실을 꺼려하며 무리의 주변을 맴돌며 기웃거리거나 비굴한 웃음을 흘리지 않는다. 독일의 심리상담가 마리엘라 자르토리우스의 말을 삶 속에서 깨우치게 되면서부터이다.

"사람들이 가장 두려워하는 것은 '홀로 있는 것'이 아니라 '외톨이로 여겨지는 것'이다."

사람들은 여전히 무리를 짓는 일에 열심이다. 모임을 만들고, 시시때때로 연락을 하고, 시간을 쪼개어 약속을 잡는다. 휴대폰이 울리지 않는 날에는 우울해지고 나만 빼놓고 저희들끼리 만나고 있을 까봐 걱정을 한다. 식당에 들어가 혼자 밥을 먹으면 사람들이 이상한 눈길로 쳐다볼까봐 차라리 굶기를 택하고, 결혼사진을 찍을 때 배경이 되어줄 친구들이 없는 게 부끄러워 대행서비스를 통해 하객을 사기도 한다. 인맥을 잘 관리하는 것이 성공의 비결이요, 사회생활에서는 인간관계가 곧 재산이라는 말을 들으면 마음이 더 조급해진다.

그런 이들은 '홀로 있는 것'이 얼마나 재미있고 자유로운 일인지를 알지 못한다. 혼자만이 만끽할 수 있는 기쁨과 그것을 통해 풍요로워지는 삶의 비밀을 모르기 때문이다. 동행 없이 홀로 산책을 하면 남의 보폭에 나를 맞출 필요가 없다. 쇼핑을 할 때 혼자라면 타인의 취향을 강요당할 염려가 없으니 유행보다 개성을 따를 수 있다. 아직까지 혼자 뷔페에 가거나 고깃집에서 삼겹살 2인분을 당당히 구워 먹고 나온 적은 없지만, 홀로 기차를 기다리며 역전 재래시장의 식당에서 순댓국을 안주 삼아 소주 반병에 얼근히 취했던 기억은 내가 경험한 어떤 여행의 추억보다 멋진 것이다.

외로워서 그리운 게 아니라 그리워서 외로워져야 사랑이다. 마음의 허기를 채우기 위해 허겁지겁 사랑하기보다는 지나친 포만감을 경계하며 그리움의 공복을 즐기는 편이 낫다. 무릇 성숙한 인간관계란 서로에게 보상을 기대하지 않는 것이다. 언제 어디서라도 내가 주고픈 만큼 돌려받을 생각을 하지 않고 깜냥껏 베풀면 그만이다. 그러니 정기적으로 만나거나 단짝처럼 붙어 다니는 친구가 없어도 서운하거나 불안치 않다. 진정한 믿음과 이해는 미주알고주알 일상을 보고하지 않아도 내가 살아가는 삶의 방식을 통해 전달된다.

삶은 어차피 홀수다. 혼자 왔다가 혼자 간다. 그 사실에 새삼 놀라거나 쓸쓸해할 필요는 없을 것이다. 스스로 자신의 가장 좋은 벗이 되어 충만한 자유로움을 흠뻑 즐길 수 있다면, 홀로 있을지언정 더 이상 외톨이는 아닐 테니까. 홀연히 왔다 홀연히 떠나기를 두려워하지 않기 위해 오늘도 질정질정 자기 암시의 구호를 짓씹는다. "외로워져야 자유로울 수 있다!"

-김별아, 『삶은 홀수다』

(나)

　오랜 경기침체와 출구가 보이지 않는 실업률, 각박해지는 근로 환경에 젊은이들은 연애와 결혼, 출산을 포기하고 불안한 미래 속에서 점점 여유를 잃어갑니다. 중장년층 역시 크게 다르지 않습니다. 바라는 삶을 영위하기 위해서 자기 자신을 할애하죠. 사회 전체적으로 숨 쉴 틈이 없고 각박해지니 '함께'하기보다는 '혼자' 편하기를 선호합니다. 물론 저도 매일 거의 '혼밥'을 하지만 이런 경향이 사회적으로 점차 증가하는 것은 그것이 마냥 좋기만 해서는 아닐 겁니다. 1인 가구가 늘어나는 이유도 있지만 젊은 친구들과 이야기하다보면 '함께', '더불어'를 피곤하고 부담스럽게 느낄 정도로 지쳐 있는 것을 발견하게 됩니다.

　과거에 비해 '더치페이' 문화가 자연스러워졌는데, 거기서 더 나아가 내 돈 내고 밥 먹으면서 편치 않은 게 싫고, 홀로 할 때보다 함께할 때 비용이 더 드는 것도 부담스럽기만 합니다. 내 주머니 사정에 맞게 꼭 필요한 것에만 쓰고, 내가 먹고 싶을 때 내가 술 마시고 싶을 때 다른 사람 눈치 안 보고 당당하게 즐긴다는 생각이 반영된 것이죠. 역사적 관점에서 볼 때 긍정적 의미에서든 부정적 의미에서든 공동체 의식이 강한 한국인의 의식이 큰 전환기를 맞고 있다는 생각이 듭니다. '각자도생'이라는 말이 이 불의한 시대를 살아가는 최고의 방법처럼 회자되는 것은, '혼족'을 선택할 수밖에 없는 역설적 현실을 드러내줍니다.

　하지만 뭐든 혼자 하는 '혼족의 시대'는 시간이 지나면 필연적으로 고독사의 증가와 같은 쓸쓸한 사회적 현상을 동반할 겁니다. 어제의 인사가 오늘의 안녕으로까지 이어지는 걸 장담할 수 없고, 각자 사는 일에 바쁘다보면 그 사람이 며칠씩 안 보여도 그도 바쁜 모양이라고 지레 짐작하고 지나치게 되는 것이죠. 그는 어디에선가 도움의 손길을 기다리며 아파하고, 힘들어하고 있을지도 모르는데요. 물리적으로든 심리적으로든 가장 가까운 곳에 있는 사람이 나일 수도 있는데, 그게 나인 줄도 모르고 그냥 무심하게 살아갈 수도 있습니다. 억지스러운 기우라고 할지 모르지만 실제 그런 일들이 이미 사회 곳곳에서 일어나고 있는 걸 봅니다. 실제로 저 역시 일상에 파묻혀 도움이 필요한 사람들을 무심코 지나쳤고 결국 부고를 통해 그들의 소식을 접하기도 합니다. 그러고 나면 여러 상념으로 괴로워지고 엄청난 아픔이 밀려옵니다.

　'함께'하고 '더불어'하는 걸 즐거워하라고 강요할 수는 없습니다. 하지만 '함께'와 '더불어'의 가치가 폄하되어서는 안 된다고 생각해요. 혼자 밥 먹고 혼자 술 마시고, 혼자 영화 보고 혼자 여행을 가더라도, '함께'하고 '더불어'하는 일에 무심하고 귀찮아하지 않길 바랍니다. 내 작은 힘이나마 필요한 곳엔 '더불어' '함께'하겠다는 따뜻한 마음을 가지고 주위에 대한 관심을 버리지 않는다면 삶이 지금보다 훨씬 좋아질 거라고 장담할 수는 없어도 적어도 더 나빠지지는 않을 겁니다. 아니, 지금보다 조금은 좋아지지 않을까요?

-한동일, 『라틴어 수업』

(다)

　다른 사람들과 어울리기보다는 자신만의 생활을 즐기는 '나홀로족'이 늘면서 혼밥, 혼술에 이어, 혼영(영화관람), 혼공(공연관람), 혼행(여행), 혼쇼(쇼핑) 등 다양한 분야의 나홀로족이 늘고 있다. 특히 최근에는 코로나19여파로 인해 혼자서 활동하는 것을 선호하는 20대들이 더 많아진 것으로 보인다.

　알바몬이 잡코리아와 함께 20대 남녀 2,928명을 대상으로 '나홀로족 트렌드'에 대해 조사한 결과, 설문에 참여한 20대 응답자 중 88.7%가 '평소 혼밥, 혼영 등 혼자서 해결하는 것들이 있다'고 답했다. 20대들이 혼자서 해결하는 것들을 살펴보면 혼자서 밥을 먹는 △혼밥이 90.2%로 1위를 차지한 가운데, △혼공(혼자서 공부하기, 68.9%), △혼영(혼자서 영화보기, 53.6%), △혼강(혼자서 강의수강, 50.0%), △혼술(혼자서 술 마시기, 27.1%), △혼행(혼자서 여행하기. 23.0%)의 순으로 나타났다.

　20대들이 혼밥 등 평소 혼자서 행동하는 가장 큰 이유는 '혼자가 편해서'였다. 설문조사에서 20대 들은 '다른 사람에게 신경 쓰고 싶지 않아서, 혼자가 편해서(46.1%)'를 1위에 꼽았다. 이어 2위는 '내 취향껏 하고 싶은 것이 있어서(31.8%)', 3위는 '친구들과 시간을 맞추기가 힘들어서(25.5%)'가 차지했다. 이 외에도 '혼자 하는 편이 합리적이라(16.7%)', '돈이 덜 들어서 경제적인 이유로(16.7%)', '별 이유 없이 그냥(16.3%)', '취업준비, 아르바이트 등 할 일이 많아서(10.5%)', '코로나19 영향으로 혼자 활동하는 게 안심돼서(9.4%)' 등의 이유가 있었다.

　　　　　　　　　　　　　　　　　　　－잡코리아×알바몬 통계센터(www.jobkorea.co.kr)

[문제 1-1]
(가)와 (나)는 '홀로 있음'에 대한 상반된 입장을 보여준다. 두 입장을 비교하시오. 글의 분량은 띄어쓰기를 포함하여 400(±100)자로 할 것. (25점)

[문제 1-2]
(다)를 바탕으로 20대의 특성을 분석하고, 이에 대하여 (가) 또는 (나)를 근거로 옹호하거나 비판하시오. 글의 분량은 띄어쓰기를 포함하여 400(±100)자로 할 것. (25점)

[문제 2] 다음 제시문을 읽고 아래 문제에 답하시오.

(가)

미국 대학에 진학하기 위해 고등학생들이 치르는 SAT 성적은 인종별로 다르게 나타난다. 2015년 자료에 따르면, 수학 과목에 대한 백인 학생의 평균 성적은 800점 만점에서 534점이었던 것에 비해 흑인 학생의 평균 성적은 428점으로 나타났다. 백인과 흑인 학생의 이러한 성적 차이에 대해 인종차별적 입장을 취하는 학자는 백인과 흑인의 선천적인 지적 능력이 다르기 때문이라고 주장하였다. 그러나 이러한 주장을 비판하는 학자들은 백인 가정이 흑인 가정에 비해 더 부유하기 때문에 백인 학생의 성적이 더 우수하다고 주장한다. 부유한 백인 부모들은 우수한 학군의 학교에 자녀들을 보내거나 SAT 선행학습을 시킬 수 있기 때문에, 백인 학생들이 흑인 학생들에 비해 더 우수한 성적을 얻는다는 것이다.

(나)

아래 그림에서 가로 축은 화재를 진압하기 위해 출동한 소방관의 수를 나타내고 세로 축은 화재로 인한 경제적인 손실($)을 보여준다. 아래의 그림을 관찰한 사람은 더 많은 소방관이 출동할수록 화재로 인한 경제적인 손실이 커진다고 주장하였다.

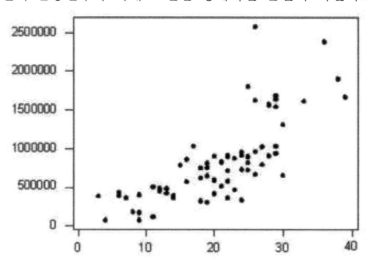

출처: https://courses.lumenlearning.com/

(다)

한 신문사는 아래와 같은 기사를 실었다.

부자일수록 더불어민주당을 지지하고 가난할수록 자유한국당을 지지한다는 여론조사 결과가 나왔다. 민주당과 한국당의 핵심 정책 방향과 정당 지지율이 상반된 결과로 나타난 셈이다. 한국갤럽이 지난달 28~30일 전국 만 19세 이상 성인남녀 1002명을 대상으로 유·무선 전화 면접 여론조사를 진행한 결과, 생활수준별 정당 지지율은 일반적 상식과는 정반대로 나타났다.

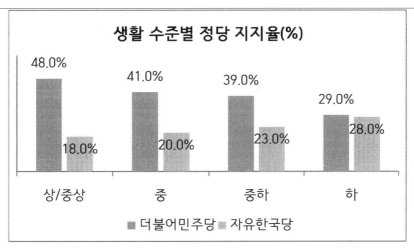

생활 수준별 정당 지지율(%)

민주당은 생활수준이 높을수록 지지율이 올라가는 구조를 보였다. 생활수준에서 '상·중상' 계층의 민주당 지지율은 48%, '중' 41%, '중하' 39%, '하' 29%로 각각 조사됐다. 반면 자유한국당은 생활수준이 높을수록 지지율은 낮아지는 구조를 보였다. 자유한국당 지지율은 생활수준 '상·중상' 18%, '중' 20%, '중하' 23%, '하' 28% 등으로 각각 나타났다.

자유한국당은 전통적으로 '작은 정부' '세금 축소' '복지 확대 경계' 등 부유층 입맛에 맞는 정책에 초점을 맞춰 정치 활동을 벌였다. 민주당은 '서민 지원' '복지 확대' 등 저소득층에 초점을 맞춘 정책 개발에 힘을 실었다.

일반적으로 '부자(富者)의 정당'은 자유한국당, '빈자(貧者)의 정당'은 민주당에 가깝다는 생각을 하지만 여론조사에 나타난 결과는 정반대다. 주요 정당이 정책적으로 공을 들이는 계층에서 가장 낮은 지지율을 보이는 역설적인 결과가 나타났다는 얘기다.

출처: https://view.asiae.co.kr/news/view.htm?idxno=2019060311252988400

(라)

<표>는 연령층에 따른 월평균 소득과 21대 총선당시 민주당 후보를 지지한 유권자의 비율을 나타낸다. 아래 표에 따르면, 20대와 70대의 월평균 소득이 가장 낮았고, 민주당 지지율도 낮게 나타났다. 반면 소득이 높은 연령층일수록 민주당에 대한 지지율도 높게 나타났다.

<표> 연령층에 따른 월 평균 소득과 민주당 지지율

연령층	월평균소득 (만원)	민주당 지지율
20대	156.7	40.6%
30대	320.0	56.3%
40대	364.5	58.2%
50대	340.0	51.2%
60대	235.0	42.2%
70대	168.0	41.0%

[문제2-1] (가)에서 "인종이 학생들의 SAT 성적에 영향을 미친다"는 주장과 "인종이 아니라 부모의 소득수준이 SAT 성적에 영향을 미친다"는 주장이 서로 충돌한다. ① 첫 번째 주장을 반박하기 위해 어떤 학생들을 서로 비교해서 어떤 결과를 얻어야 하는가? ② 두 번째 주장의 타당성은 어떤 학생들을 서로 비교해서 어떠한 분석결과를 얻을 때 뒷받침될 수 있는가? ③ (나)에서 "소방관이 많이 출동할수록 화재 손실이 커진다"는 주장에 무슨 문제가 있는가를 설명하시오. 글의 분량은 띄어쓰기를 포함하여 400(±100)자로 할 것. (25점)

[문제2-2] (다)의 "부자일수록 더불어민주당을 지지하고 가난할수록 자유한국당을 지지한다"는 신문기사 결론에 ① 어떠한 문제가 있는가를 (라)의 자료를 통해 지적하시오. ② (라)의 자료에도 불구하고 신문기사 결론이 타당하다는 주장을 뒷받침하기 위해 어떠한 사례들을 비교해야 하는가를 설명하시오. ③ (가)의 "인종이 학생들의 SAT 성적에 영향을 미친다"는 주장과 (나)의 "소방관이 많이 출동할수록 화재 손실이 커진다"는 주장과 (다)의 "부자일수록 더불어민주당을 지지한다"는 주장은 공통적으로 어떠한 문제를 가지고 있는가를 설명하시오. 글의 분량은 띄어쓰기를 포함하여 400(100)자로 할 것. (25점)

아주대학교
AJOU UNIVERSITY

답안지(자연계)

| 지원 학과 (전공) | | 수 험 번 호 | | 주민등록번호앞자리(예:940512) |

※감독관 확인란

(서명)

성 명

- 유의사항 -
① 논술답안은 검정색 볼펜으로만 작성하십시오.(빨강이나 파랑색 사용금지)
② 답안지의 문항번호를 확인 후 답안을 작성하십시오.

【1 - 1】 답안   (반드시 해당 문제와 일치하여야 함)

이 줄 아래에 답안을 작성하거나 낙서할 경우 판독이 불가능하여 채점 불가

【1 – 2】 답안　　　(반드시 해당 문제와 일치하여야 함)

40
80
120
160
200
240
280
320
360
400
440

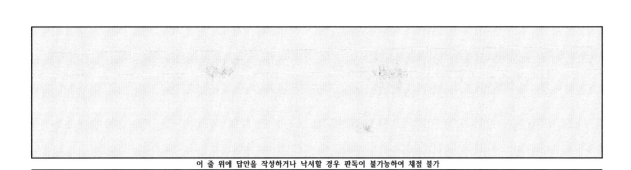

【2 - 1】답안 (반드시 해당 문제와 일치하여야 함)

															40
															80
															120
															160
															200
															240
															280
															320
															360
															400
															440

【2 - 2】 답안 (반드시 해당 문제와 일치하여야 함)

40

80

120

160

200

240

280

320

360

400

440

9. 2021학년도 아주대 모의 논술

[문제 1] 다음 제시문을 읽고 아래 문제에 답하시오.

(가)

인간의 본성에서 반드시 충족시켜야 하는 부분은 생리적 욕구만이 아니다. 그에 못지않게 강력한 또 다른 부분도 있는데, 육체적 과정이 아니라 인간의 생활양식과 습관의 본질 그 자체에 뿌리를 두고 있는 이 부분은 바로 외부 세계와 관계를 맺고자 하는 욕구, 고독을 피하려는 욕구다. 육체적 굶주림이 죽음으로 이어지듯, 완전히 혼자 고립되어 있다는 느낌은 정신적 분열을 초래한다. 이렇게 타인과 관계를 맺는 것은 신체적인 접촉과는 다르다. 개인은 육체적 의미에서는 오랫동안 혼자 지내면서도 어떤 견해나 가치관, 또는 적어도 남과 교감한다는 느낌과 '소속감'을 줄 수 있는 사회 활동에 관여할 수 있다. 반면에 사람들과 어울려 살면서도 완전한 고독감에 사로잡힐 수 있고, 이 고독감이 일정한 한계를 넘으면 정신분열증을 비롯한 정신이상을 초래할 수 있다. 가치관, 상징, 행동 양식과의 이런 관계 결핍을 정신적 고독이라고 부를 수 있고, 정신적 고독은 육체적 고독만큼 참기 어렵다고 말할 수 있다. 아니, 그렇다기보다 육체적 고독은 정신적 고독과 함께 의미하는 경우에만 견딜 수 없어진다고 말할 수 있다. 외부 세계와의 정신적 관계는 다양한 형태를 띨 수 있다. 수도원의 독방에서 신을 믿는 수도사와 독방에 갇혀 있으면서도 동지들과 일체감을 느끼는 정치범은 정신적으로 혼자가 아니다. 지극히 이국적인 환경에서도 야회복을 입고 있는 영국 신사, 동포들과 완전히 격리되어 있는데도 조국이나 그 상징과 일체감을 느끼는 소시민도 정신적으로는 혼자가 아니다. 외부 세계와의 관계는 고귀할 수도 있고 하찮을 수도 있지만, 아무리 천박한 행동 양식과 관계를 맺더라도 혼자인 것보다는 훨씬 낫다. 종교와 민족주의는 어떤 관습이나 믿음 못지않게 터무니없고 수치스럽지만, 개인을 타인과 연결해주기만 한다면 인간이 가장 두려워하는 고독에서 벗어날 수 있는 도피처가 될 수 있다.

— 에리히 프롬, 《자유로부터의 도피》

(나)

명절날 나는 엄매 아배 따라 우리 집 개는 나를 따라 진할머니 진할아버지가 있는 큰집으로 가면

얼굴에 별 자국이 솜솜 난 말수와 같이 눈도 껌벅거리는 하루에 베 한 필을 짠다는 벌 하나 건넛집엔 복숭아나무가 많은 신리(新里) 고무 고무의 딸 이녀(李女) 작은 이녀(李女)
열여섯에 사십(四十)이 넘은 홀아비의 후처가 된 포족족하니 성이 잘 나는 살빛이 매감탕 같은 입술과 젖꼭지는 더 까만 애수쟁이 마을 가까이 사는 토산(土山) 고무 고무의 딸 승녀(承女) 아들 승(承)동이

육십 리(六十里)라고 해서 파랗게 뵈이는 산을 넘어 있다는 해변에서 과부가 된 코끝이 빨간 언제나 흰옷이 정하던 말끝에 설게 눈물을 짤 때가 많은 큰골 고무 고무의 딸 홍녀(洪女) 아들 홍(洪)동이 작은 홍(洪)동이

배나무 접을 잘하는 주정을 하면 토방돌을 뽑는 오리치를 잘 놓는 먼 섬에 반디젓 담그려 가기를 좋아하는 삼춘 삼춘엄매 사춘 누이 사춘 동생들이 그득히들 할머니 할아버지가 있는 안간에들 모여서 방 안에서는 새 옷의 내음새가 나고

또 인절미 송구떡 콩가루차떡의 내음새도 나고 끼때의 두부와 콩나물과 뽂운 잔디와 고사리와 도야지비계는 모두 선득선특하니 찬 것들이다

저녁술을 놓은 아이들은 외양간 섶 밭마당에 달린 배나무 동산에서 쥐잡기를 하고 숨굴막질을 하고 꼬리잡이를 하고 가마 타고 시집가는 놀음 말 타고 장가가는 놀음을 하고 이렇게 밤이 어둡도록 북적하니 논다

밤이 깊어 가는 집 안엔 엄매는 엄매들끼리 아르간에서들 웃고 이야기하고 아이들은 아이들끼리 웃간 한 방을 잡고 조아질하고 쌈방이 굴리고 바리깨돌림하고 호박떼기하고 제비손이구손이하고 이렇게 화디의 사기방등에 심지를 몇 번이나 돋구고 홍게닭이 몇 번이나 울어서 졸음이 오면 아룻목싸움 자리싸움을 하며 흐드득거리다 잠이 든다 그래서는 문창에 텅납새의 그림자가 치는 아침 시누이 동세들이 욱적하니 흥성거리를 부엌으론 샛문 틈으로 장지문 틈으로 무이징게국을 끓이는 맛있는 내음새가 올라오도록 잔다

— 백석, 〈여우난골족〉

(다)

개발독재와 경제성장으로 이어진 혁명적인(?) 땅값의 시기에 부모님들, 삼촌과 이모, 가깝게는 사촌 오빠와 언니 세대들 일부가 '절대 지지 않는' 재테크 수단으로서 부동산을 통해 재산을 불리는 사이 우리에게 남겨진 살 곳들은 어디에 있을까.

우리가 갈 수 있는 곳들은 다음과 같다. 반지하방, 옥탑방, 고시원, 하숙집, 원룸…. 만일 학생이라면 기숙사, 직장인이라면 사택을 제공받는 경우도 있을 테고, 매우 성공적인 경우에는 어느 정도 모아 둔 목돈에 대출을 받아서 집을 장만할 수도 있겠다. 그러나 기본적으로 우리가 갈 수 있는 곳은 반지하방에서 원룸의 범위를 크게 벗어나지 않는다. 온전한 '집'이 아니라 '방'으로 여겨지는 곳들. 오로지 하나의 방 혹은 방들로 이루어진 곳들에서 우리는 삶을 유지해야 한다. 혹자는 다음과 같이 물을 수도 있을 것이다. 그래도 반지하방과 원룸을 하나의 범주에 넣는 것은 너무 지나친 것 아닐까. 장대비가 쏟아지면 이따금 가구가 물에 잠기는 반지하방과 서울 어느 지역에서는 전셋값만 해도 1억 원이 넘는 원룸을 하나의 분류에 집어넣는 것은 그다지 수긍하기 힘들지도 모른다. 하지만 소유를 하는 '집'이 아니고, 대체로 잠시 머무르며, 대부분의 경우 그 안에서 혼자 생활한다는 점을 감안하면, 반지하방, 옥탑방, 고시원, 하숙집, 원룸을 한 범주에 넣는 것을 무리라고만을 할 수 없다.

(중략)

　결국 어느 정도 경제적 여력이 되는 경우에는 보증금을 주고 월세를 내는 원룸(혹은 오피스텔)으로 가고, 보증금을 얼마나 갖고 있느냐에 따라 원룸보다 더 낮은 단계의 옥탑방이나 반지하방, 지하방에 살기도 한다. 보증금을 마련하기 어려운 경우엔 점차 기업형으로 변해 가고 있는 하숙집 또는 쪽방과 비슷하게 취급되는 고시원(여학생 전용, 외국인 유학생 전용 고시원 등으로 점점 세분화되는 한편 여전히 값만 비싼 쪽방과 다를 바 없는 곳들 또한 동시에 존재하는)으로 가기도 한다. 이런 방들 사이에서 20대들은 끊임없이 쳇바퀴를 돌게 된다.

　'방살이'의 쳇바퀴는 어떤 식으로 돌아가는가. 먼저 경제적으로 자립을 선언한 20대가 대학교를 다니면서 아르바이트를 하나 정도 하는 경우를 생각해 보자. 한 달 수입이 60만 원가량이라고 쳤을 때 이 돈으로 주거비 지출을 포함한 생계를 유지해야 한다면 들어갈 수 있는 곳은 보증금 없는 고시원이나 하숙집밖에 없다. 이 경우 아마도 그 혹은 그녀는 한 달 수입의 절반가량을 주거비로 내야 할 것이다. 남는 돈으로는 생활비와 학비를 내고 말이다. 그런데 때마침 등록금이 1천만 원 시대를 맞이하고 있으므로, 결국 이 안타까운 20대는 학자금 대출을 신청할 것이며, 직업을 갖기 전까지는 고시원을 맴돌 수밖에 없다.

　이번에는 회사에 취직한 20대 후반이 있다고 가정해 보자. 이 사람의 연봉은 2천만 원 정도다. 이 사람이 보증금 1천만 원에 월세 40만 원짜리 서울 시내에 있는 원룸(2009년 9월 현재 더 올랐지만)을 얻었다고 치자. 이 경우 일단 매달 40만 원씩, 1년에 500만 원가량이 월세로 나간다. 여기에 부모님한테 꾼 1천만 원을 돌려드리면, 한 해 동안 남는 돈은 약 500만 원. 이 돈으로 먹고살아야 한다는 말인데, 사실상 500만 원으로 일 년을 버티긴 힘들다. 그러므로 이 사람은 아마도 부모님한테 돌려드릴 돈을 계속 미룰 가능성이 높다. 물론 보증금과 월세를 내는 원룸이나 오피스텔을 벗어나 전세로 가는 데도 오랜 시간이 걸릴 테고 말이다. 그런데도 이 사람은 운이 좋은 편이다. 부모에게서 1천만 원이라는 목돈이라도 지원받을 수 있었으니까.

(중략)

　방살이, 즉 방에서 혼자 사는 삶. 쳇바퀴를 도는 것 같은 이 생활이 마냥 부정적인 것만은 아니다. 종종 이런저런 핑계로 얼마든지 캥거루족이 될 수 있는데도 굳이 나와서 혼자 사는 사람들도 있는 것이 사실이다. 많은 사람들에게는 불가피한 선택이지만, 또 어떤 이들에게 방살이는 나름대로 억눌린 답답한 생활에서 벗어나 주체적으로 생활할 수 있는 기회를 주기도 한다. 실제로는 일부 기성세대의 자산 증식에 큰 기여를 한 땅값과 집값만큼이나, 우리의 방살이 또한 어떤 면에서는 '혁명적'이다. 분명 우리는 우리의 부모들과는 다른 감수성으로 방에서 산다. 부정적인 의미로 보면, 우리가 사는 방들은 고립된 섬이다. 며칠간 계속 회사에 나오지 않는 직장 동료의 원룸을 찾아갔더니 혼자 목숨을 끊은 채 방치되어 있었다거나, 고시원에서 홀로 살던 이가 자기가 살던 고시원에 불을 질러 다른 이들의 목숨을 앗은 사건, 사고들이 이를 방증한다.

그러나 이러한 고립은 '자유'를 뜻하기도 한다. 집에 들어가도 들어간 것 같지 않은 기분이 드는 억압적 환경에서 벗어난 자유, 혼자 있을 수 있는 자유, 성인으로서 자신을 책임진다는 것에 대한 자유…. 동시에 섬에 고립된 수많은 원룸과 반지하방과 고시원과 하숙집의 세입자들. 방살이에는 이렇게 너무나도 다른 극단적인 양면이 있다. 그리고 이 둘 사이 어딘가에서 헤매고 있는 사람이 꽤나 많을 것이다. 매달 월세를 부담스러워하고 걱정하면서 그럭저럭 생활을 이어 나가는 사람들 말이다.

— 우석훈, 《혁명은 이렇게 조용히》

[문제1-1] (가)의 관점을 적용하여 (나)의 '나'와 (다)의 '우리'가 처한 상황을 비교하시오. 글의 분량은 띄어쓰기를 포함하여 400(±100)자로 할 것. (25점)

[문제1-2] (가) 또는 (나)를 참고하여 (다)의 '방살이'가 지닌 문제점을 분석하고, 그것을 극복하는 방법을 서술하시오. 글의 분량은 띄어쓰기를 포함하여 400(±100)자로 할 것. (25점)

[문제 2] 다음 제시문을 읽고 아래 문제에 답하시오.

(가)

미국 버클리 소재 캘리포니아 주립대학교(University of California, Berkeley)는 1973년 가을학기 대학원 선발과정에서 여학생을 차별했다는 취지의 소송을 당하였다. 소송을 제기한 집단은 자신의 주장을 뒷받침하기 위해 <표 1>의 지원자 전체의 합격률 자료를 제시하였다.

<표 1> 캘리포니아 주립대학교 대학원 지원자 집합자료

남학생		여학생	
전체 지원자 수	합격률	전체 지원자 수	합격률
8442	44%	4321	35%

그러나 캘리포니아 주립대학교는 대학원이 여성 차별적인 선발을 했다는 주장을 반박하기 위해 <표 2>의 학과 별 합격률 자료를 제시하였다.

<표 2> 캘리포니아 주립대학교 대학원 지원자 학과 별 세부자료

	남학생		여학생	
	지원자 수	합격률	지원자 수	합격률
A	825	62%	108	82%
B	560	63%	25	68%
C	325	37%	593	34%
D	417	33%	375	35%
E	191	28%	393	24%
F	373	6%	341	7%
전체	8442	44%	4321	35%

(나)

신장결석 치료방법은 개복수술법(open surgery)과 피부를 통한 신석절제술(percutaneous nephrolithotomy)이 있다. 신석절제술이 더 효과적이라고 주장하는 의사들은 자신의 주장을 뒷받침하기 위해 개복수술법 또는 신석절제술을 받은 환자 전체의 치료성공률에 대한 <표 3>의 자료를 제시하였다.

<표 3> 신장 결석 환자 집합자료

	개복수술법		신석절제술	
	환자 수	성공률	환자 수	성공률
전체	350	78%	350	83%

그러나 이러한 주장에 반대하는 의사들은 자신의 반대입장을 뒷받침하기 위해 환자 증세에 따른 각 치료법의 효과를 보여주는 <표 4>의 자료를 제시하였다.

<표 4> 환자의 증세에 따른 세부자료				
	개복수술법		신석절제술	
	환자 수	성공률	환자 수	성공률
경증 환자 (작은 결석)	87	93%	270	87%
중증 환자 (큰 결석)	263	73%	80	69%
전체	350	78%	350	83%

[문제 2-1]

(가)에서 캘리포니아 주립대학이 여성차별적인 선발을 했다는 주장의 타당성을 평가하고, 평가의 근거를 뒷받침하는 관찰 결과를 제시하시오. (나)에서 신석절제술이 더 효과적이라는 주장의 타당성을 평가하고, 평가의 근거를 뒷받침하는 관찰 결과를 제시하시오. (가) 사례와 (나) 사례의 공통점은 무엇인가를 기술하고, 두 사례가 자료해석에 어떠한 점을 유의해야 하는가에 대해 말하는지를 설명하시오. 글의 분량은 띄어쓰기를 포함하여 400(±100)자로 할 것 (25점).

[문제 2-2]

(가)에서 전체 학생들의 집합자료가 보여주는 바가 각 학과의 세부자료가 보여주는 바와 다른 이유를 설명하시오. (나)에서 전체 환자들의 집합자료가 보여주는 바가 환자의 증세에 따른 세부자료가 보여주는 바와 다른 이유를 설명하시오. 글의 분량은 띄어쓰기를 포함하여 400(±100)자로 할 것 (25점).

【1 - 1】답안 (반드시 해당 문제와 일치하여야 함)

40

80

120

160

200

240

280

320

360

400

440

【1 - 2】 답안　　(반드시 해당 문제와 일치하여야 함)

40

80

120

160

200

240

280

320

360

400

440

【2 - 1】 답안   (반드시 해당 문제와 일치하여야 함)

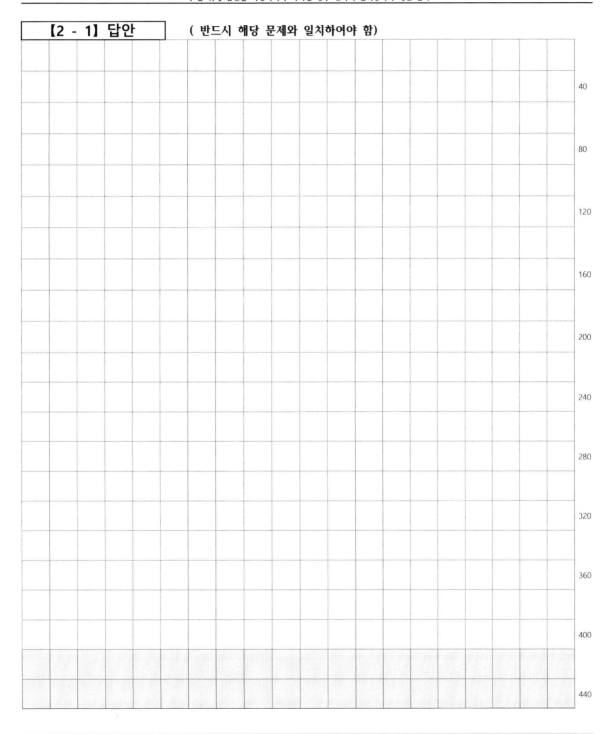

40

80

120

160

200

240

280

320

360

400

440

【2 - 2】답안　　(반드시 해당 문제와 일치하여야 함)

														40
														80
														120
														160
														200
														240
														280
														320
														360
														400
														440

10. 2020학년도 아주대 수시 논술

[문제 1] 다음 제시문을 읽고 아래 문제에 답하시오.

(가)

벤담이 생각한 '원형감시시설(판옵티콘, Panopticon)'은, 주위에는 원형의 건물, 중심에는 탑을 배치하고, 탑에 주위의 건물을 볼 수 있는 커다란 창을 몇 개 붙이는 것이다. 주위의 건물은 독방으로 구분되며, 독방에는 창이 둘 있다. 창 하나는 탑의 창에 대응하는 위치에 내부를 향하도록 되어 있고, 또 하나는 외부를 향하게 하여 빛이 독방을 통하도록 하는 것이다. 이렇게 되면, 중앙의 탑에 감시자를 한명 배치하고 독방에는 죄수를 한 사람씩 유폐하는 것만으로 충분하다. 탑에서 보면, 역광선의 효과로 독방 내에 있는 죄수의 그림자가 빛 속에 떠오르는 것을 파악할 수 있기 때문이다. 이 구조에서는 충분한 빛과 감시자의 시선으로 인해 토굴로 만든 감옥의 어둠보다도 훌륭하게 상대를 포착할 수 있다. 이제는 가시성이 하나의 올가미가 된 것이다.

벤담은 감시자가 탑에 있는지 없는지를 죄수가 인식하기 어렵도록 감시탑 내부를 설계했다. 감시탑 내부는 항상 어두워서 감시자를 볼 수 없었고 심지어 감시자가 자신을 감시하는지조차 알 수가 없었다. 이 구조에서는 감시탑에 있는 최소한의 감시자가 주위에 있는 여러 죄수를 동시에 감시할 수 있을 뿐 아니라 죄수는 감시자가 어디를 보고 있는지 알 수 없기 때문에, 감시자의 시선과 관계없이 감시의 효과가 발생한다. 결국 죄수는 보이지 않는 감시자의 시선을 의식해서 규율에서 벗어난 행동을 하지 못하다가 점차 이 감시의 시선을 내면화하여 스스로 자신을 감시하게 된다.

이러한 구조에서는 다수의 죄수가 밀집하여 무리지어 소동을 일으키는 상태를 피할 수 있다. 각자는 독방에 유폐되어 있고 감시자에게 정면으로 보여지며, 독방의 측면 벽으로 인해서 다른 죄수와 접촉할 수 없다. 죄수는 보여지기는 하여도 볼 수가 없고, 어떤 정보를 위한 객체이기는 해도 어떤 정보를 전달하는 주체가 될 수는 없다. 감시자의 입장에서는 군중 대신 구분된 개개인이므로 규제하기 쉬운 형태가 되고, 죄수의 관점에서는 격리되고 관찰되는 고립성이 나타나는 것이다.

- 미셸 푸코, 『감시와 처벌』 재구성

(나)

정보 기술이 진화하면서 감시는 고정된 물리적 공간에서 전자 공간으로 확장되고 있다. 학교나 군대, 감옥처럼 특정한 공간에서만 감시가 이루어지는 것이 아니라 언제 어디서든 감시가 가능하다. 웹사이트에 접속한 기록이나 이메일, 댓글, 메신저 대화, 트윗 혹은 내려받은 사진이나 음악 등 인터넷상의 행적은 수집되어 데이터베이스로 축적되고, 원한다면 언제든지 분석할 수 있는 정보 자료가 된다. 신용카드의 사용 내역 또한 마찬가지다. 그것은 상품에 대한 지출 액수만을 알려주는 것이 아니라 구매자의 신상 정보와 취향, 소비 행태, 의식까지를 파악하는 정보로 활용된다. 개인이 일상생활에서 한 활동들이 정보로 축적되어 그들의 생각과 행동을 미리 예측하고 통제할 수 있게 하는 것이다.

인터넷이나 SNS 등 정보 매체는 개인을 감시하고 통제하는 수단이 되기도 하지만, 동시에 다수가 소수의 권력자를 감시하는 '역감시(시놉티콘, synopticon)'가 가능하도록 한다. 과거에는 언론이 시놉티콘을 가능하게 했다면, 현재는 인터넷을 통해 대중이 권력을 감시하고, 부정적인 사회 문제를 고발하거나 비판적인 사회 여론을 조성할 수 있다.

한편, 정보 사회에서 감시는 국가 권력이나 기업에 의해서만 이루어지는 것이 아니다. 스마트폰이 보편화되면서 개인 간 감시 현상 또한 심화되고 있다. 누군가 일상에서 일어난 사건을 스마트폰으로 촬영하고 그 영상을 SNS에 올리면, 얼마 되지 않아 영상 속 인물에 대한 '신상 털기'가 이루어진다. 개인 신상 정보의 폭로를 뜻하는 '신상 털기'는, 인터넷 검색을 이용해서 보통 사람 누구나 다른 누군가의 사생활을 파헤칠 수 있다는 것을 보여준다. 바야흐로 만인(萬人)이 서로를 감시하는 '전자감시사회'가 된 것이다.

(다)

그들은 〈서정시〉라는 파일 속에 그를 가두었다
서정시마저 불온한 것으로 믿으려 했기에

파일에는 가령 이런 것들이 들어 있었을 것이다

머리카락 한줌
손톱 몇조각
한쪽 귀퉁이가 해진 손수건
체크무늬 재킷 한벌
낡은 가죽 가방과 몇권의 책
스푼과 포크
고치다 만 원고 뭉치
은테 안경과 초록색 안경집
침묵 한병
숲에서 주워온 나뭇잎 몇개

붕대에 남은 체취는 유리병에 밀봉되고
그를 이루던 모든 것이 〈서정시〉 속에 들어 있었을 것이다
물론 그의 서정시들과 함께

그들은 이런 것조차 기록해두었을 것이다

화단에 심은 알뿌리가 무엇인지
다른 나라에서 온 편지가 몇통인지
숲에서 지빠귀와 어떤 대화를 나누었는지
옷자락에 잠든 나방 한마리를 어떻게 바라보았는지
하루에 물을 몇통이나 길었는지
재스민차를 누구와 마셨는지
도서관에서 어떤 책을 대출받았는지
강의시간에 학생들과 어떤 말을 주고받았는지
저물 무렵 오솔길을 걷다가 왜 걸음을 멈추었는지
국경을 넘으며 어떤 표정을 지었는지

이 사랑의 나날 중에 대체 무엇이 불온하단 말인가
                    (후략)

                                    - 나희덕, 「파일명 서정시」*

* Deckname 〈Lyrik〉. 구동독 정보국이 시인 라이너 쿤쩨에 대해 수집한 자료집.

[문제 1-1]

(가)와 (나)는 인간 사회에서 이루어지는 감시의 형태에 대해서 쓴 글이다. (가)와 (나)의 감시의 특징의 차이점을 모두 찾아 대비하여 설명하시오. 글의 분량은 띄어쓰기를 포함하여 400(±100)자로 할 것 (25점)

[문제 1-2]

(다)에 나타나는 감시를 (가)와 (나)의 감시의 특징을 적용하여 설명하고, (다)에서 유추할 수 있는 전자감시사회의 문제점을 설명하시오. 글의 분량은 띄어쓰기를 포함하여 400(±100)자로 할 것 (25점)

[문제 2] 다음 제시문을 읽고 아래 문제에 답하시오.

(가)

　대통령제는 입법부와 행정부가 엄격하게 분리된 정부 형태이다. 입법부와 행정부가 서로 독립적으로 조직되고 운영되는 대통령제는 몇 가지 특징을 보인다. 대통령제에서 대통령은 국민에 의하여 선출되며 행정부의 각 부처는 대통령에게 소속되고 대통령의 지시를 받아 행정을 수행한다. 행정부의 각료들은 의회의 의원을 겸직할 수 없으며, 의회가 행정부 구성에 직접적으로 개입하지는 못한다. 대통령과 행정부는 국민에게만 책임을 질 뿐 의회에 대해서는 책임을 지지 않는다. 의회는 대통령과 행정부를 불신임할 수 없고 대통령도 의회를 해산할 수 없기 때문에 두 기관은 서로 독립적이고 상호 견제가 가능하다.

　의원 내각제는 입법부와 행정부의 권한이 융합된 정부 형태이다. 의원 내각제에서는 행정부 수반인 내각(행정부)의 수상이 실질적인 국정 운영의 권한을 가진다. 의원 내각제에서 내각은 입법부에 의해 구성된다. 즉, 국민이 선거를 통해 의회를 구성하면 의회에서 다수 의석을 차지한 정당의 대표가 수상이 되어 내각을 구성한다. 수상을 중심으로 한 내각은 국정 운영 결과에 대해 의회에 책임을 진다. 의회는 내각에 대해 불신임을 결의할 수 있고, 이 경우 내각은 실각하게 된다. 반면 내각은 의회가 자신을 지지하지 않을 경우, 의회를 해산할 수 있다. 이처럼 입법부와 행정부가 자신의 생존을 상대에게 의지하는 의원내각제에서는 이들이 독립적으로 서로를 견제하기 어렵다. 특히 입법부와 행정부 중 한쪽의 권한이 더 강할 경우, 권한이 강한 기관이 권한이 약한 기관을 지배할 수 있다. 의원내각제에서는 다수당 지도부가 행정부를 구성하므로 행정부에 권력이 집중될 가능성이 높다.

- 『고등학교 법과 정치』 재구성 -

(나)

　체벨리스(Tsebelis) 교수에 의하면, 거부권 행사자란 집합적 의사결정을 위해 동의를 필요로 하는 사람 또는 기관이다. 예컨대, 대통령제에서는 입법부와 행정부(대통령), 사법부 중 어떤 한 기관이 반대하면 기존 법을 바꿀 수 없다. 견제와 균형이 핵심인 대통령제에서는 이들 거부권 행사자가 서로 견제하여 권력 집중을 방지한다. 이처럼 제도적으로 마련된 거부권 행사자들을 "제도적 거부권 행사자"라고 부른다.

　대통령제에 반해, 의원내각제는 이러한 제도적 견제장치가 없다. 의원내각제는 효율성을 중요시한다. 양당 의원내각제에서는 다수당이 행정부(내각)를 구성하고, 행정부가 발의한 법안에 대해 의회가 찬반을 결정한다. 행정부는 다수당 지도부로 구성되므로, 행정부 법안은 의회의 견제 없이 통과될 가능성이 높다. 따라서 의원내각제에서는 다수당 지도부로 구성된 행정부에 권력이 집중되고 행정부와 입법부가 독립적인 제도적 거부권 행사자로 작동하기 어렵다.

의원내각제의 권력 집중 문제를 해소하기 위해 의원내각제 국가들은 비례대표 선거제도를 통해 다당제를 창출하고, 여러 정당이 연합정부를 형성해 다수당에 권력이 집중되는 것을 방지한다. 정부에 참여해서 거부권을 행사할 수 있는 정당들을 "정파적 거부권 행사자"라고 부른다. 의원내각제가 마치 권력분산형 제도처럼 잘못 인식되는 이유는 의원내각제가 권력분산형 정부형태이기 때문이 아니라 많은 의원내각제 국가가 다당제를 채택하여 다수의 정파적 거부권 행사자를 가지고 있기 때문이다.

정부형태는 제도적 거부권 행사자의 수에 영향을 미친다. 대통령제에서는 의원내각제에 비해서 제도적 거부권 행사자의 수가 많다. 정당체제는 정파적 거부권 행사자의 수에 영향을 미친다. 양당제에서는 의회 다수당이 유일한 정파적 거부권 행사자이다. 다당제에서는 연합정부를 구성한 여러 정당들이 정파적 거부권 행사자들이다.

그러나 대통령제라고 하더라도 대통령이 다수 여당과 사법부를 장악할 수 있으면, 의회와 사법부가 행정부를 견제할 수 없으므로 대통령이 유일한 거부권 행사자이다. 이럴 경우, 양당 대통령제는 입법부, 행정부, 사법부가 서로 독립적인 미국의 순수한 대통령제보다는 양당 의원내각제와 더 유사하다. 이처럼 권력구조의 이름이 대통령제인가 의원내각제인가는 중요하지 않다. 권력분산의 핵심은 거부권행사자의 수다. 제도적 거부권 행사자 또는 정파적 거부권 행사자의 수를 증가시키면 권력은 분산된다.

[문제 2-1]

- 대통령제와 의원내각제에서 행정부-입법부 관계의 차이가 권력 집중과 어떻게 연관되어 있는가를 (가)를 통해 설명하시오.
- 대통령제와 의원내각제에서의 권력 분산방식을 (나)의 "제도적 거부권 행사자"와 "정파적 거부권 행사자"라는 개념을 사용해서 설명하시오.
  글의 분량은 띄어쓰기를 포함하여 400(±100)자로 할 것 (25점)

[문세 2-2]

- 양당제 국가에서 대통령에게 권력이 집중된 문제를 의원내각제를 통해 해결할 수 있다는 주장을 (나)의 내용을 통해 평가하고, 대통령 권력 집중 문제를 해결하는 데 의원내각제와 순수한 대통령제 중 어떤 정부형태가 더 적합한가를 설명하시오.
- 정부형태와 정당체제가 어떻게 조합될 경우 권력 집중을 가장 약화시킬 수 있는가를 (나)의 "제도적 거부권 행사자" 및 "정파적 거부권 행사자" 개념을 사용해서 설명하시오.
  글의 분량은 띄어쓰기를 포함하여 400(±100)자로 할 것 (25점)

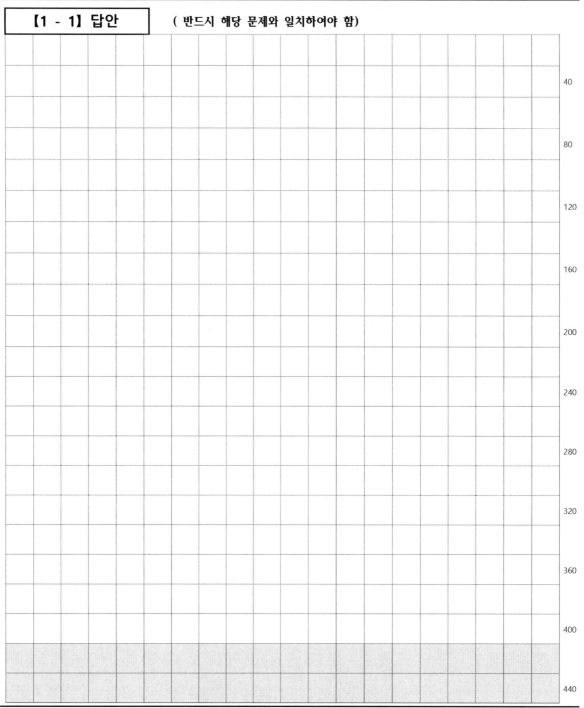

【1 - 1】답안　(반드시 해당 문제와 일치하여야 함)

										40

40
80
120
160
200
240
280
320
360
400
440

【1 - 2】답안　　　(반드시 해당 문제와 일치하여야 함)

40

80

120

160

200

240

280

320

360

400

440

【2 - 1】답안　　(반드시 해당 문제와 일치하여야 함)

40

80

120

160

200

240

280

320

360

400

440

122

【2 - 2】 답안 　(반드시 해당 문제와 일치하여야 함)

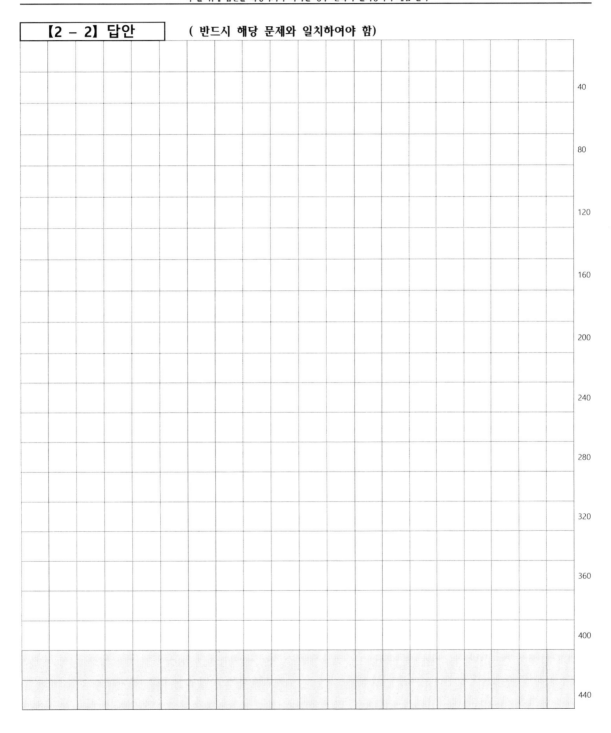

40

80

120

160

200

240

280

320

360

400

440

VI. 예시 답안

1. 2024학년도 아주대 수시 논술

[문제 1-1]

(가)에서 '화춘'에게 벌어진 상황을 요약한 후, (나)의 견해에 비추어 '화욱'의 문제가 무엇인지를 서술하시오. 글의 분량은 띄어쓰기를 포함하여, 400(±100)자로 할 것. (25점)

[문제 1-2]

(나)의 중심 화제와 관련하여, (다)와 (라)는 각각 어떤 견해를 펼치고 있는지, 각각에서 언급한 사례를 논거로 들어 서술하시오. 글의 분량은 띄어쓰기를 포함하여, 400(±100)자로 할 것. (25점)

[문제 1-1]

  화춘은 자신의 시가 경박하고 음탕하다는 이유로 부친 화욱으로부터 집안을 어지럽힐 것이라는 심한 꾸지람과 아우를 본받으라는 말을 듣고 창피함을 느꼈다. 이로 인해 점점 더 동생을 원망하고 언행이 거칠어져 갔다. 이렇듯 (가)에는 부친에 대한 서운함, 동생에 대한 원망 등으로 인해 부친의 훈계와 달리 엇나가는 화친의 상황이 나타난다.

  하지만 화욱에게도 책임이 있다. (나)에 따르면, 공감은 타인의 경험, 생각과 감정을 이해하고 이성적으로 정서적 균형을 찾도록 가르침으로써, 인생을 충만하게 살아갈 수 있게 해주는 능력이다. 화춘의 시가 마음에 차지 않아도, 그의 생각과 감정을 이해하고 이성적으로 훈계해야 했는데 화욱은 그렇게 하지 않았다. 화욱은 화춘에게 전혀 공감하지 않음으로써 화춘을 분노와 원망으로 치우치게 하여 인생을 그르치게 한 역효과를 냈을 뿐이다. (426자)

[문제 1-2]

  (나)는 공감을 중요하게 보고 있는데, (다)는 그 연장선에서 가상현실의 힘에 주목한다. 가상현실 영화인 <시드라에게 드리운 구름>은 스위스 다보스 세계경제포럼 참석자들에게 공간을 초월하여 요르단 자타리에 있는 시리아 난민 소녀를 생생하게 느낄 수 있게 해준다. 가상현실은 마치 실제로 겪는 듯한 심리적 현실감을 느끼게 함으로써, 심층적으로 공감할 수 있게 해준다.

  한편 (라)는 공감의 힘을 인정하면서도 공감이 유도한 결과가 도덕과 무관하다는 것을 주장한다. 뱃슨의 실험 결과에서 보듯, 불치병 환자인 셰리를 향한 사람들의 공감은 셰리의 수술 시기를 앞당김으로써 셰리에게 도움을 줄 수 있다. 하지만 셰리가 자신보다 앞서 대기하고 있는 다른 환자들을 제치고 먼저 수술을 받는 것은 도덕적이지 않다. (390자)

[문제 2-1]

정당들이 선거에서 얻은 득표율에 따라 의석 비율이 결정되는 선거제도를 비례성이 높은 선거제도라 부른다. 비례성이 높은 선거제도일수록, 득표율과 의석률이 같아진다. 단순다수제, 비례대표제, 병립형 선거제도를 비례성이 높은 순으로 나열하고, 답에 대한 이유를 (가)의 내용을 근거로 제시하시오. 글의 분량은 띄어쓰기를 포함하여 400(±100)자로 할 것. (25점)

[문제 2-2]

준연동형 선거제도가 위성정당의 창당을 촉진하는 이유를 (나)에서 제시된 A당과 B당의 예를 들어 설명하시오. (다)에서 제시한 바와 같이 더불어민주당과 미래통합당이 21대 총선 당시 위성정당을 설립한 이유를 준연동형 선거제도의 특징으로 설명하시오. 글의 분량은 띄어쓰기를 포함하여 400(±100)자로 할 것. (25점)

[문제 2-1]

　세 선거제도를 비례성이 낮은 선거제도에서 높은 선거제도의 순으로 나열하면 단순다수제, 병립형 선거제도, 비례대표제 순으로 나열할 수 있다. 단순다수제에서 유권자들은 군소정당 후보에게 투표할 가능성이 낮고 낙선한 군소정당 후보에게 던진 표는 버려지므로 군소정당 후보는 의석을 얻기 어렵다. 따라서 군소정당이 얻은 득표율과 의석률의 괴리가 가장 크고 비례성이 가장 낮다. 반면 비례대표제에서는 정당이 얻은 득표율에 따라 의석을 배분하므로 각 정당은 득표한 만큼의 의석을 얻는다. 따라서 비례성이 가장 높다. 병립형 선거제도에서는 비례대표 의석을 정당 득표율에 따라 배분하나 지역구 의원은 단순다수제로 선발하기 때문에 비례성이 단순다수제보다는 높은 반면, 비례대표제보다는 낮다. (376자)

[문제 2-2]

　(나)에서 100곳의 지역구에서 승리한 A당은 준연동형 선거제도에서 연동형 의석을 한 석도 얻지 못한 반면, 지역구에서 한 석도 얻지 못한 B당은 45석의 연동형 의석을 얻었다. 두 정당의 예가 보여주듯이 준연동형 선거제도에서는 지역구 당선자를 내지 못한 정당은 다수의 연동형 의석을 얻을 수 있다. 지역구 후보를 내지 않는 위성정당은 지역구 당선자가 없으므로 득표율만큼의 연동형 의석을 얻을 수 있다. 따라서 지역구에서 강한 정당이 위성정당을 만들면 자신이 얻은 지역구 의석과 위성정당이 얻은 연동형 의석을 모두 챙길 수 있다. 21대 총선에서 더불어민주당과 미래통합당은 지역구에서 강한 정당이므로 위성정당을 만들지 않았다면 연동형 의석을 한 석도 얻지 못하거나 매우 적은 수만 얻게 된다. 따라서 두 정당은 더 많은 연동형 의석을 얻기 위해 위성정당을 만들었다. (429자)

2. 2024학년도 아주대 모의 논술

[문제 1-1] (가)를 요약하고, 그 내용을 바탕으로 (나)에서 '나, 너, 우리'의 관계를 연계하여 서술하시오. 글의 분량은 띄어쓰기를 포함하여, 400(±100)자로 할 것. (25점)

[문제 1-2] (다)의 상황을 요약하고, (가)의 '존중'을 바탕으로 '사정'이 취한 존중과 '유희'가 취한 존중에 관해 차례대로 서술하시오. 글의 분량은 띄어쓰기를 포함하여, 400(±100)자로 할 것. (25점)

[문제 1-1]

　존중이 경시되고 있다. 존중 결핍의 문제는 자기의 가치를 의심하고 심리적인 안정감이 낮은 것에 그치지 않고 공격 성향으로 이어진다. 존중의 문화에서 자애로운 상호작용을 발전시킬 수 있다. 존중을 꺼리는 것은 주변 사람들에게 긍정적으로 반응하지 못하는 태도와 관련이 있다. 의식적으로 존중의 태도를 실천하다 보면 많은 것들이 성취된다. 존중의 가치는 활성화되어야 한다.

　(나)에서 내가 너의 이름을 불러 준다는 것은 내가 상대를 존중한다는 것을 의미한다. 그럴 때 상대는 나에게 꽃과 같이 아름다운 존재가 된다. 나 또한 너로부터 존중받을 때 나도 너에게 소중한 존재임을 느끼게 된다. 너와 나, 우리는 서로 존중하고 존중받는 존재가 되고 싶은 것이다. 요컨대 존중의 가치에 대한 강한 소망이 깃들어 있다. (402자)

[문제 1-2]

　(다)는 청혼에서 혼인에 이르는 과정을 보여준다. 유희는 사급사 댁에 매파를 보내 청혼했다가 거절당하자, 현령을 보내 다시 청혼하여 사정을 며느리로 들였다.

　사정옥은 자기 존중의 모습을 보여준다. 그녀는 부귀공명의 집안으로부터 청혼을 받지만 거절했다. 왜냐하면 매파가 상대편 집안을 높이고, 그 반면에 여성의 미모만을 언급하고, 돌아가신 아버지의 높은 덕을 언급하지 않았기 때문이다.

　유희는 타인 존중의 모습을 보여준다. 그는 청혼이 거절당했다는 말을 듣고, 매파가 존중의 말을 전하지 않았음을 깨달은 후에 현령을 통해 다시 청혼했다. 그때 사급사의 맑은 덕과 사정옥의 부덕을 칭찬하는 말을 공손하게 전함으로써 결혼을 성사시켰다.

　요컨대 (다)는 결혼 과정에서 자기 존중과 타인 존중이 조화롭게 펼쳐지는 모습을 보여준다.(409자)

[문제 2-1]

　유권자들이 <표 1>이 보여준 선호에 따라 투표한다면 단순다수제와 선택투표제에서 각각 당선되는 후보가 어떤 후보인가를 답하시오. 이 질문의 답에 대한 이유를 (가) 제시문에 제시된 당선 기준을 통해 설명하시오. 글의 분량은 띄어쓰기를 포함하여 400 (±100)자로 할 것. (25점)

[문제 2-2]

　<표 1>의 네 후보 중 어떤 두 후보가 (나)에서 제시된 "양극화된 선호"를 얻었습니까? 이 질문의 답에 대한 이유를 설명하시오. 단순다수제와 선택투표제 중 어떤 선거제도가 "양극화된 선호"를 가진 후보에게 더 불리한가를 답하시오. 이 질문에 대한 답을 근거로 단순다수제와 선택투표제 중 어떤 선거제도가 정치양극화를 억제하는데 더 적합한가를 설명하시오. 글의 분량은 띄어쓰기를 포함하여 400 (±100)자로 할 것. (25점)

[문제 2-1]

　<표 1>에 의하면, 후보 갑, 을, 병, 정을 가장 선호하는 유권자는 각각 4명, 1명, 3명, 3명이다. 유권자들이 <표 1>이 보여준 선호에 따라 투표한다면 단순다수제에서는 4표를 얻은 후보 갑이 당선될 것이다. 그러나 선택투표제에서 당선되기 위해서는 1순위 표를 6개

이상 얻어야 한다. 1순위 표를 6개 이상 얻은 후보가 없으므로 1순위 표를 가장 적게 얻은 후보 을을 제거한다. 후보 을의 1순위 표는 후보 을에게 1순위를 표시한 유권자 5의 2순위 표에 따라 후보 병에게 이양된다. 이 단계에서 이양받은 표를 포함하면 후보 갑, 병, 정은 각각 1순위 표를 4개, 4개, 3개를 얻었다. 따라서 1순위 표를 6개 이상 얻은 후보가 없으므로, 1순위 표를 가장 적게 얻은 후보 정을 제거한다. 후보 정의 1순위 표는 후보 정에게 1순위를 표시한 유권자 9. 10과 11의 2순위 표에 따라 후보 병에게 이양된다. 이 단계에서 이양받은 표를 포함하면 후보 갑과 병은 각각 1순위 표를 4개와 7개를 얻었으므로, 후보 병이 당선된다. (389자)

[문제 2-2]
"양극화된 선호"란 한 정당의 지지층이 상대 정당을 매우 강하게 반대할 경우 나타난다. <표 1>에서 후보 갑을 가장 지지하는 유권자 모두 후보 정을 가장 반대하는 반면, 후보 정을 가장 지지하는 유권자 모두 후보 갑을 가장 반대한다. 따라서 후보 갑과 후보 정에 대한 선호는 양극화되어 있다. 단순다수제에서는 한 후보에 대한 선호가 양극화되어 있어도 이 후보가 가장 많은 지지를 얻으면 당선될 수 있다. 반면, 선택투표제에서는 1순위 선호가 과반을 넘지 못한 후보가 가장 많은 1순위 선호를 얻어도 충분한 2순위 선호를 얻지 못하면 당선되기 어렵다. <표 1>은 양극화된 선호를 가진 후보 갑과 정이 1순위와 4순위 표를 합해서 각각 8표와 9표를 얻은 반면 2순위 표는 1표씩만 얻었다는 사실을 보여준다. 이에 반해 선호가 양극화되지 않은 후보 병은 6개의 2순위 표를 받았다. 따라서 선택투표제는 선호가 양극화된 후보의 당선 가능성을 감소시켜 선호가 양극화되지 않은 제3정당 후보의 당선 가능성을 증가시키기 때문에 정치양극화를 억제할 수 있다. (396자)

3. 2023학년도 아주대 수시 논술

[문제 1-1]
제시문 (가)와 (나)는 올바른 소비에 관하여 교훈을 준다. 제시문 (가)와 (나)를 비교하여 요약하시오. 글의 분량은 띄어쓰기를 포함하여 400(±100)자로 할 것. (20점)

[문제 1-2]
제시문 (다)는 옷을 지나치게 많이 소비하는 현대 사회의 모습을 다룬다. 제시문 (다)의 상황이 초래할 수 있는 문제점을 지적하고, 그것에 대해 제시문 (가) 또는 (나)를 활용하여 해결책을 제시하시오. 글의 분량은 띄어쓰기를 포함하여 800(±200)자로 할 것. (30점

[문제 1-1]
공통적으로 (가)와 (나)는 평범한 일상에서 겪은 일화를 소개하면서 많이 소비하고 많이 버리는 현대인의 소비습관에 부정적 입장을 취한다. (가)는 볼품없는 비닐우산에도 아름다운 효용성이 있으므로 함부로 버릴 수 없다고 한다. 보잘것없고 하찮은 물건이라도 긍정적 속성을 가지고 있으며, 때로는 비싼 물건보다 더욱 소중한 경험을 제공하기도 하기 때문이다. (나)는 잘린 버드나무 몸통에서 싹이 돋고 줄기가 뻗는 것을 보면서 버려진 것에도 생

명력이 있으며, 이에 물건을 쉽게 버리지 말고 재활용해야 한다는 의견을 제시한다. 소비를 줄이고 환경 파괴를 막아야 한다는 것이다. 한편 (가)는 값싸고 볼품없는 물건이라도 그것이 지닌 효용성에 만족하는 검소한 생활의 미덕을 옹호함으로써 과도한 소비를 간접적으로 비판한다면, (나)는 지구 환경을 보호할 책임을 강조하면서 과도한 소비를 야만과 어리석음이라 규정하면서 직접적으로 비판한다는 차이가 있다. (468자)

[문제 1-2]

옷을 지나치게 많이 생산하고 소비함으로써 발생하는 문제점 중 하나로 환경오염을 들 수 있다. 옷의 생산과 소비는 대개 유행과 연관된다. 유행이 시작되면 이윤을 노린 생산자가 옷을 대량 생산·유통시키는데, 새로운 유행이 시작되면 기존 유행에서 밀려난 옷은 판매되지 못한 채 창고에 쌓여 있다가 결국에는 폐기 처분된다. 이렇게 유행에 밀려나 버려지는 옷이 전 세계적으로 300억 벌 이상이나 된다고 한다. 최근에는 패스트 패션이 인기를 얻으면서 폐기되는 옷이 점점 더 많아지리라 예상된다. 이렇게 폐기되는 옷은 쉽게 분해되지 않아 환경오염의 주범이 되기도 한다. 우리가 입는 옷에는 폴리에스터, 나일론, 폴리우레탄 같은 합성섬유가 많이 사용되는데, 이러한 합성섬유는 폐기 단계에서 대부분 분해되지 않고 폐기물로 잔류하게 된다. 천연 면으로 된 옷이라면 시간이 지나 대부분 생분해되지만 폴리에스터로 만든 옷은 분해율이 0%에 가깝다고 한다.

이런 문제를 해결하기 위해서는 제시문 (나)를 참고할 필요가 있다. (나)의 예시처럼 필요 없다고 생각해서 버린 나무토막도 재활용하면 쓸모 있는 가구로 재탄생할 수 있다. 유행에 지났다고 옷을 버리기보다는 수선(리폼)하여 재활용하고, 자신의 취향에는 맞지 않더라도 다른 사람의 취향에는 맞을 수 있으니 원하는 사람에게 판매하거나 기부함으로써, 옷을 쉽게 폐기하는 대신 계속 사용해야 한다. 또한 합성섬유에서 석유화학 성분을 추출하여 재활용 플라스틱으로 만드는 기술을 국가적으로 지원하여 재활용률을 높일 필요도 있다. (나)에서 강조하듯 "오래 쓰고, 고쳐 쓰고, 다시 쓰는 일"을 통해 옷의 과도한 생산과 소비 자체를 줄여 "이 행성에 대한 최소한의 책임을 지기 위해 노력해야 한다. (849자)

[문제 2-1]

(가)와 (나)는 모두 상대와 협력할 것인가 아니면 상대를 배신할 것인가를 선택해야 하는 상황을 묘사하고 있다. ① (가)와 (나)의 상황에서 상대의 선택에 따라 죄수와 사냥꾼은 협력과 배신 중 무엇을 선택하는지 답하시오. ② (가)와 (나)의 상황에서 발생하는 결과를 예측하시오. ③ (가)와 (나)에서 서로 다른 결과가 발생하는 이유를 죄수와 사냥꾼의 협력과 배신에 대한 선호의 차이로 설명하시오. 글의 분량은 띄어쓰기를 포함하여 400 (±100)자로 할 것. (25점)

[문제 2-2]

① (다)와 (라)의 상황에서 발생하는 결과를 예측하시오. ② (다)와 (라)에서 서로 다른 결과가 발생하는 이유를 (가)와 (나)의 죄수와 사냥꾼의 협력과 배신에 대한 선호의 차이로 설명하시오. 글의 분량은 띄어쓰기를 포함하여 400 (±100)자로 할 것. (25점)

[문제 2-1]

 ① (가)에서 두 죄수는 상대가 배신하면 자신도 배신을 선택하고 상대가 협력해도 자신은 배신을 선택한다. 반면 (나)에서 두 사냥꾼은 상대가 협력하면 자신도 협력을 선택하고 상대가 배신하면 자신도 배신을 선택한다. ② (가)에서 두 죄수는 상대의 선택과 상관없이 배신을 선호하므로 두 죄수 모두 자백하여 5년형을 받는 결과가 발생한다. (나)에서 두 사냥꾼은 상대가 무엇을 선택하는가에 따라 선택이 달라진다. 상대가 협조하면 나도 협조하는 것을 선호하므로 두 사냥꾼 모두 사슴을 쫓는다. 또는 상대가 배신하면 나도 배신하는 것을 선호하므로 두 사냥꾼 모두 토끼를 쫓는다. ③ (가)와 (나)의 결과가 서로 다른 이유는 (가)에서 죄수는 상대의 선택과 상관없이 무조건적으로 배신을 선호하는 반면, (나)에서 사냥꾼은 상대가 무엇을 선택하는가에 따라 협력할 수도 있고 배신할 수도 있기 때문이다. (444자)

[문제 2-2]

 ① (다)의 학부모는 다른 학부모의 선택과 상관없이 자신의 자녀에게 사교육을 시키는 반면 (라)의 학부모는 다른 학부모가 사교육을 시키면 자신도 사교육을 시키고 다른 학부모가 사교육을 시키지 않으면 자신도 사교육을 시키지 않는다. ② (다)와 (라)에서 서로 다른 결과가 발생하는 이유는 (다)의 학부모의 협력과 배신에 대한 선호가 죄수의 것과 비슷한 반면 (라)의 학부모의 협력과 배신에 대한 선호는 사냥꾼의 것과 비슷하기 때문이다. (가)에서 죄수가 상대의 선택과 상관없이 무조건적으로 배신을 선호하듯이 (다)의 학부모도 다른 학부모의 선택과 상관없이 무조건적인 배신을 선호한다. 반면 (나)에서 사냥꾼이 상대의 선택에 따라 협력 또는 배신을 선택하듯이 (라)의 학부모도 다른 학부모가 협력하면 자신도 협력하고 다른 학부모가 배신하면 자신도 배신한다. (423자)

4. 2023학년도 아주대 모의 논술

[문제 1-1] 제시문 (가)와 (나)는 올바른 교육이 무엇인지를 다룬다. 제시문 (가)와 (나)의 차이점을 비교하시오. 글의 분량은 띄어쓰기를 포함하여 400(±100)자로 할 것.(20점)

[문제 1-2] 제시문 (다)는 인공지능과 자동화가 우리에게 던지는 새로운 과제를 다룬다. 제시문 (가) 또는 (나)를 활용하여 제시문 (다)가 말하는 '인공지능 시대'를 대비하기 위한 교육에 관한 자신의 견해를 펼치시오. 글의 분량은 띄어쓰기를 포함하여 600(±200)자로 할 것.(30점)

[문제 1-1]

 제시문 (가)는 지식을 많이 채우는 데 치중하여, 제대로 된 이해와 판단 없이 무조건적으로 암기하는 주입식 교육 방식을 비판한다. '지식은 내 것으로 만들어야 한다', '외워서 아는 것은 아는 것이 아니다'라는 말이 강조하는 것처럼 외부의 지식을 단순히 흡수하는 것보다는 그것을 자신의 것으로 소화하여 스스로 깨닫는 일이 중요하다고 본다.
 반면 제시문 (나)는 기초 지식 습득을 위한 암기나 반복학습을 무시하거나 나쁜 것으로 오해하는 입장을 반박한다. 지식의 내용을 이해했다고 해서 자기 것이 되는 것이 아니며

'반복'과 '암기'를 통해 지식을 익히는 작업을 거쳐야 자기의 것으로 소화된다고 주장한다. 또 반복과 암기를 통해 익힌 지식이 많을 때 새로운 지식을 더 많이 배울 수 있으며, 지식의 토대 위에서 비로소 제대로된 창의력이 발휘될 수 있다는 것이다. (423자)

[문제 1-2]
(제시문 (가)를 활용한 경우)

인공지능이 고도로 발달하게 되면 인간이 수행하던 많은 일을 기계가 대체할 것이고, 이에 따라 인간이 설 자리가 줄어든다는 우려가 점차 커지고 있다. 이미 우리 주변에서는 음식점의 점원을 키오스크가 대체하고, 은행 점포와 행원의 수를 대폭 줄이는 등 기계가 인간을 대체하는 일이 벌어지고 있다.

제시문 (다)에서는 인공지능 시대에서 인간과 기계의 경쟁이 아닌 공존과 공생의 방법을 모색해야 한다고 강조한다. 즉 기계가 잘 할 수 있는 것은 기계에 맡기고, 인간은 그로 인한 에너지의 여유를 인간만이 잘 할 수 있는 일에 사용해야 한다는 것이다. 이때 인간의 고유한 능력이 바로 '유연성과 창의성'으로, 부정확한 인식과 판단, 비합리적인 행동, 망각 등 인간의 여러 약점에서 비롯하는 위험과 결핍의 한계를 극복하는 과정에서 인류가 길러온 인간 능력이다.

이에 인공지능 시대에는 제시문 (가)가 강조하듯 '얼마나 더 많이 아느냐 하는 것보다 더 잘 아느냐'가 중요하다. 인간이 많은 지식을 기억하려고 노력해봐야 인공지능이 결합된 기계를 이길 수는 없다. 지식의 기억보다는 근본 원리를 이해하여야 새롭게 발생하는 다양한 문제에 창의적으로 대처할 수 있으며, 양심에 따라 현명하게 숙고하여야 앞으로 직면하게 될 여러 한계를 유연하게 극복할 수 있다. 즉 인공지능 시대를 대비하기 위해서는 주입식 교육을 한시라도 바삐 탈피하여 유연성과 창의성을 길러주는 교육으로 나아가야 한다. (707자)

[문제 2-1]

(나)에서 제시된 학자 A의 실험연구는 (가)의 내적타당성을 저해하는 세 가지 요인들로 인해 과대 추정 또는 과소 추정의 오류를 범할 수 있습니까? 아니면 이러한 오류를 피할 수 있습니까? 과대 추정 또는 과소 추정의 오류를 범할 수 있다면, 세 가지 요인들이 각각 과대 추정 또는 과소 추정 중 어떠한 오류를 초래하는가를 예를 들어 설명하시오. 과대 추정 또는 과소 추정의 오류를 피할 수 있다면 그 이유를 설명하시오. 글의 분량은 띄어쓰기를 포함하여 400(+100)자로 할 것. (25점)

[문제 2-2]

(나)에서 제시된 학자 B의 실험연구는 (가)의 내적타당성을 저해하는 세 가지 요인들로 인해 과대 추정 또는 과소 추정의 오류를 범할 수 있습니까? 아니면 이러한 오류를 피할 수 있습니까? 과대 추정 또는 과소 추정의 오류를 범할 수 있다면, 세 가지 요인들이 각각 과대 추정 또는 과소 추정 중 어떠한 오류를 초래하는가를 예를 들어 설명하시오. 과대 추정 또는 과소 추정의 오류를 피할 수 있다면 그 이유를 설명하시오. 글의 분량은 띄어쓰기를 포함하여 400(±100)자로 할 것. (25점)

[문제 2-1]

 학자 A의 실험연구는 내적타당성을 저해하는 세 가지 요인들로 인해 과대 추정 또는 과소 추정의 오류를 범할 수 있다. 첫째, 우연한 사건은 학자 A의 연구결과를 과대 추정할 수 있다. 예를 들면, 고령층이 좋아하는 연예인이 흡연 때문에 사망했다면 피험자들의 흡연 욕구가 감소할 수 있다. (또는 담배값이 인상되어서 피험자들의 흡연 욕구가 감소할 수 있다.) 이럴 경우, 금연 껌 때문만이 아니라 외부 요인 때문에 흡연량이 줄어들 수 있으므로 금연 껌의 효과가 과대 추정된다. 둘째, 성숙 요인은 학자 A의 연구결과를 과대 추정할 수 있다. 예를 들면, 실험 기간 중 고령층 흡연자의 건강 악화로 인해 흡연 욕구가 줄어들 수 있다. 이럴 경우, 금연 껌 때문만이 아니라 건강 악화 때문에 흡연량이 줄어들 수 있으므로 금연 껌의 효과가 과대 추정된다. 셋째, 편향된 선택 요인은 학자 A의 연구결과를 과대 추정할 수 있다. 예를 들면, 금연 동기가 강한 고령층이 주로 실험에 응모했을 것이기 때문에 이들은 실험에 참가하지 않은 고령층에 비해 금연 동기가 강할 것이다. 이럴 경우, 금연 껌 때문만이 아니라 이들이 금연을 원하는 집단이기 때문에 흡연량이 줄어들 수 있으므로 금연 껌의 효과가 과대 추정된다. (423자)

[문제 2-2]

 학자 B의 실험연구는 과대 추정 또는 과소 추정의 오류를 피할 수 있다. 첫째, 우연한 사건은 피험집단과 통제집단 모두에게 적용된다. 예를 들면, 고령층이 좋아하는 연예인이 흡연 때문에 사망했다면 피험집단과 통제집단 모두 흡연 욕구가 감소할 것이다. 따라서 피험집단의 흡연량이 통제집단보다 더 감소했다면, 이러한 이유는 피험집단의 흡연 욕구가 더 약화되어서가 아니라 금연 껌의 효과 때문일 가능성이 높다. 둘째, 성숙 요인은 피험집단과 통제집단 모두에게 적용된다. 예를 들면, 실험 기간 중 고령층 흡연자의 건강 악화는 피험집단과 통제집단 모두의 흡연 욕구를 약화시킬 것이다. 따라서 피험집단의 흡연량이 통제집단보다 더 감소했다면, 이러한 이유는 피험집단의 건강이 더 악화되었기 때문이 아니라 금연 껌의 효과 때문일 가능성이 높다. 셋째, 편향된 선택 요인은 피험집단과 통제집단 모두에게 적용된다. 예를 들면, 피험집단과 통제집단 모두 금연실험 공고를 보고 실험에 응모했으므로, 두 집단 모두 금연 동기가 강한 집단일 것이다. 따라서 피험집단의 흡연량이 통제집단보다 더 감소했다면, 이러한 이유는 피험집단의 금연 동기가 더 강해서가 아니라 금연 껌의 효과 때문일 가능성이 높다. (461자)

5. 2022학년도 아주대 수시 논술

[문제 1-1]

 (가)는 오래간만에 고향을 방문한 '그'의 사연을 다룬다. '그'의 심적 상태를 (나)를 활용하여 설명하시오. 글의 분량은 띄어쓰기를 포함하여 400(±100)자로 할 것. (25점)

[문제 1-2]

 (다)는 밀레니얼 세대의 가상 공간 경험을 다룬다. (나)에 나오는 고향의 특성을 참고하여, (다)의 입장을 수용하거나 반박하면서 실제 장소로서의 고향에 대한 애착이 디지털 시대에 어떠한 의미를 지니게 될 것인지에 대한 자신의 견해를 제시하시오. 글의 분량은 띄어쓰기를 포함하여 400(±100)자로 할 것. (25점)

[문제 1-1]

9년 만에 고향으로 돌아온 그는 고향이 폐허가 되어버린 것을 보고 극도의 상실감을 느낀다. 한때 백여 호가 평화롭게 살던 고향 동네는 이제 아무도 살지 않는 폐동이 되어버렸고, 집은 무너져 담만 즐비하게 남은 것이 '무덤을 파서 해골을 헐어 젖혀 놓은 것 같다'고 느낀다. (나)에 의하면 사람은 자신의 집과 고향을 '세상의 중심'으로 인식하는 경향이 있다. 그러므로 집과 고향이 파괴된다면 자신의 우주가 폐허로 변한 것 같은 심한 정신적 타격을 입게 되는데, 그가 지금 그러한 상태에 있다. 또 (나)에 따르면 고향은 추억과 역사 등을 모아놓은 '저장고'로서 고향이 환기하는 기억은 사람에게 심리적 안정감을 제공한다. 그는 자신과 혼담까지 오갔던 동네 처녀가 그간 고생 끝에 폐인이 다 된 것을 목격하였다. 정감 있는 추억마저 사라진 고향은 더는 안정감과 위안을 줄 수 없기에 그는 쓸쓸함을 느끼고 끝내 눈물을 흘리게 된 것이다. (465자)

[문제 1-2]
(수용)

디지털 시대에는 실제의 장소에 대한 애착은 현저히 약화되고 가상 공간에 대한 애착이 그것을 대신하게 될 것이다. (나)에 의하면 고향은 영속성을 지니고 있어서 세상의 우연성과 변화에 불안감을 느끼는 사람에게 안정감을 줄 수 있다. 그러나 이것은 어디까지나 변화의 속도가 느린 전통 사회에 해당하는 설명이다. 오늘날 세상은 급격히 변하고 있으며 변화의 속도는 점점 더 빨라진다. 실제의 공간과 장소 또한 급격한 사회 변화에 따라 빠르게 바뀔 수밖에 없고, 그 결과 장소의 영속성은 크게 약화된다. 한편 가상 공간 경험이 익숙한 밀레니얼 세대는 SNS를 즐기면서 친구들과 추억을 쌓고 게임을 하면서 역사를 만든다. 이처럼 가상 공간에서 추억과 역사가 쌓이면 그것이 일정한 심리적 안정감이나 위안을 제공할 수 있고, 그렇게 된다면 전통 사회에서 고향이 하던 기능을 대체할 수 있게 되는 것이다. (441자)

(반박)

디지털 시대가 되더라도 고향에 대한 의식은 여전히 중요하며 가상 공간의 경험은 어디까지나 보조적 역할에 그칠 것이다. 가상 공간에서 많은 시간을 보내는 밀레니얼 세대에게 가상 공간은 어른 세대와는 다른 의미를 지닌다는 점은 부인할 수 없다. 그러나 그들이 즐기는 가상 공간 역시 실제의 세계를 바탕으로 한다는 점을 간과해서는 안 된다. 어디까지나 원본은 실제의 공간과 장소이며, 모방의 결과물은 실제 장소로서의 고향과 같은 '세상의 중심'으로 인식될 수는 없다. 또한 디지털 기술은 결국 실제 세계에서의 행복을 추구하기 위함이다. 비대면 수업에서 지식을 배우더라도 친구들과 어울리는 학교생활의 추억이 여전히 필요하듯, 가상 공간에서의 경험이 실제의 고향이 주는 정서적 안정과 위안을 완전히 대체할 수 없기에 고향에 대한 애착은 여전히 중요하게 지속될 것이다. (424자)

[문제 2-1]

유권자의 정치적 태도에 대한 (가)와 (나)의 시각을 둘 이상의 차이점을 들어 비교하고, (다)를 통해 (가)와 (나)의 시각을 각각 비판하시오. 글의 분량은 띄어쓰기를 포함하여 400(±100)자로 할 것. (25점)

[문제 2-2]
(라)의 A~D 이론들이 각각 유권자의 정치적 태도에 대한 (가)와 (나)의 시각 중 어떤 시각과 부합하는가를 설명하시오. 글의 분량은 띄어쓰기를 포함하여 400(±100)자로 할 것. (25점)

[문제 2-1]
　(가)에서는 유권자들이 합리적이며 분명한 정책적 선호를 가지고 있으며, 정당들의 정책 입장을 알 수 있고 정책 입장에 대한 경제적 효용을 비교하여 정당을 선택한다고 주장하는 반면, (나)에서는 유권자들이 감성적 판단을 하고 분명한 정책적 선호를 가지고 있지 않으며, 정당들의 정책 입장을 알 수 없고 집단 정체성에 따라 정당을 선택한다고 주장한다. (다)에 의하면 사람들은 직접적인 이해가 걸려 있지 않은 사안에 대해서는 정보 내용보다 주변적인 단서에 집중한다고 생각한다. 따라서 유권자들이 정책 내용에 따라 투표 결정을 한다는 (가)의 시각은 비판받을 수 있다. (다)에 의하면 사람들은 직접적인 이해가 걸려 있는 사안에 대해서는 사안이 가지고 있는 내용을 중시한다. 따라서 집단정체성이 정당에 대한 선택을 결정한다는 (나)의 시각은 비판받을 수 있다. (422자)

[문제 2-2]
　영호남민들이 경제적인 혜택을 기대하고 정당을 선택한다고 주장하는 A 이론은 유권자들이 경제적인 효용에 따라 정당을 선택한다는 (가)의 시각과 부합한다. 영호남 간의 지역감정 또는 편견 때문에 지역주의 투표를 한다는 B 이론은 유권자들이 감성적 판단에 의존해서 정당을 선택한다는 (나)의 시각과 부합한다. 영남민은 보수적인 정책을 선호하고 호남민은 진보적인 정책을 선호하기 때문에 이들이 자신의 정책적 선호와 더 가까운 정당을 지지한다는 C 이론은 유권자들이 자신의 정책적 선호를 근거로 정당을 지지한다는 (가)의 시각과 부합한다. 영호남민의 지역 정체성을 지역주의 투표의 원인으로 보는 D 이론은 유권자들이 집단 정체성에 따라 정당을 선택한다는 (나)의 시각과 부합한다. (376자)

6. 2022학년도 아주대 모의 논술

[문제 1-1]
제시문 (가)는 6.25를 배경으로 이념 대립을 우정의 힘으로 극복하는 과정을 다룬다. 제시문 (나)에 나온 세 가지 우정(관계)을 활용하여 '성삼'의 심적 변화를 단계를 나누어 설명하시오. 글의 분량은 띄어쓰기를 포함하여 500(±150)자로 할 것.(25점)

[문제 1-2]
제시문 (다)는 온라인 의사소통의 양면성을 다룬다. 제시문 (가) 또는 (나)를 활용하여 온라인 의사소통이 인간관계에 긍정적 영향을 미칠지 또는 부정적 영향을 미칠지에 관한 자신의 견해를 펼치시오. 글의 분량은 띄어쓰기를 포함하여 500(±150)자로 할 것.(25점)

[문제 1-1]

　포로 호송 임무를 맡은 성삼으로서는 덕재가 도망치면 상부로부터 크게 질책당할 수 있다. 성삼은 어릴 때부터 친구였던 덕재를 보면서 옛 추억을 떠올리기도 하지만 자신의 임무와 임무 실패 시 닥칠 불이익을 생각하며 다시 냉정한 자세를 취하는데, 그의 태도가 효용에 의해 좌우된다는 점에서 효용성을 토대로 한 우정에 가깝다.

　고갯길에 이르러 덕재가 사람을 죽인 일이 없음을 알고 적개심이 누그러진 성삼은 덕재의 사연을 들으면서 어릴 적 즐거움을 토대로 한 우정을 회상하고 덕재를 동정하는 마음을 갖는데, 효용성만을 따지던 데서 변화한 모습을 볼 수 있다.

　고개를 내려왔을 때 성삼은 학떼를 보면서 어릴 때 덕재와 함께 학을 살리려고 애썼던 일을 회상한다. 그때 두 소년은 어른들에게 들켜 꾸지람 듣는 것을 걱정하기(효용성)보다 학이 죽어서는 안 된다는 생각뿐이었다. 이어 성삼은 덕재의 탈출을 방조하는데, 상부의 질책 같은 불이익을 감수하고 그저 상대방이 잘되기를 바라는 마음으로 한 일이라는 점에서 비도구적 관계를 지향하는 고귀한 우정을 확인할 수 있다. (530자)

[문제 1-2]

　코로나19로 인하여 비대면 방식의 활용이 점차 확대되었다. 특히 온라인 의사소통은 교육 현장에서 적극적으로 활용되어 온라인 수업이 보편화되었다. 초기에는 시행착오도 있었지만 온라인 시스템이 안정화되고 교사와 학생도 익숙해진 편이다.

　그러나 부작용도 만만치 않다. 온라인 의사소통을 통해서 지식 전달과 학습의 측면에서 어려움을 극복하고 '효용'을 얻는 데 성공한다고 하더라도, 전통적인 대면 혹은 오프라인 방식의 의사소통에서 경험할 수 있는 여러 요소를 충족시키는 데는 부족하다. 제시문 (가)에서 성삼이 덕재를 향한 적개심을 누그러뜨리고 그의 처지를 이해하게 된 데에는 어린 시절 쌓았던 사소한 즐거움을 토대로 한 우정이 있었다. 더 나아가 그것이 쌓이고 발전되어 이익을 초월하여 상대방을 진심으로 대하는 고귀한 우정으로 발전할 수 있었다.

　교육에서는 비도구적 관계 맺기를 연습하고 진정한 우정을 발전시키는 기회의 제공이 지식 전달이라는 효용 못지않게 중요하다. 이 점에서 온라인 의사소통에만 의존하는 것은 득보다는 실이 더 클 수 있다. (523자)

[문제 2-1]

(나), (다), (라)에서 서술된 문제들의 공통점과 이러한 문제들이 발생하는 이유를 (가)를 통해 설명하시오. 글의 분량은 띄어쓰기를 포함하여 400(±100)자로 할 것. (25점)

[문제 2-2]

(나)와 (다)에서 공통적으로 발생할 수 있는 문제를 해결하기 위한 방법으로 제시된 방법들의 공통점과 차이점을 설명하고, (나)와 (다)에서 각각 제시된 두 방법을 모두 적용해서 (라)에서 투표를 촉진하기 위한 방안을 제시하시오. 글의 분량은 띄어쓰기를 포함하여 400(±100)자로 할 것. (25점)

[문제 2-1]
　(가)문에서 두 죄수가 서로 함구하면 둘 모두 가벼운 처벌을 받을 수 있음에도 불구하고, 이들은 각각 더 낮은 형량을 얻기 위해 자백하고 결국 더 무거운 형량을 얻게 된다. (가)는 죄수가 자신만의 이익을 추구하기 때문에 공공의 이익을 얻을 수 없게 된다는 사실을 비유적으로 보여준다. (가)의 상황은 (나), (다), (라)에서 공통적으로 발생하는 결과를 설명할 수 있다. (나), (다), (라) 모두 개개인이 자신만의 이익을 추구하기 때문에 공공(집단 전체)의 이익을 얻을 수 없게 된다는 공통점을 가지고 있다. (나)에서는 전기의 무분별한 사용으로 더 나은 기후 환경을 얻을 수 없게 되고, (다)에서는 무분별한 어획으로 풍부한 어족자원을 얻지 못하게 되고, (다)에서는 투표에 참여하지 않아 자신이 원하는 후보를 당선시킬 수 없게 된다. (403자)

[문제 2-2]
　(나)와 (다)는 개개인이 자신의 이익만을 추구하기 때문에 공공의 이익을 얻을 수 없게 된다는 문제를 해결하기 위해 국가라는 제 3자가 개입한다는 공통점을 가지고 있다. (나)에서는 탄소포인트제를 통해, (다)에서는 금어기·금지체장의 강화를 통해 국가가 개입하여 공공의 이익을 창출하려 한다. 그러나 (나)에서는 개인들이 협력을 할 경우 인센티브를 제공하여 보상을 하는 반면, (다)에서는 개인들이 협력을 하지 않을 경우 과태료 부과하여 처벌을 한다는 점에서 차이점이 있다. 이러한 두 방법은 (라)에서 투표를 촉진하기 위해 사용될 수 있다. 투표에 참가하는 유권자에게 세금공제와 같은 혜택을 주거나 참가하지 않는 유권자에게 과태료를 부과하여 투표를 촉진할 수 있다. (372자)

7. 2021학년도 아주대 수시 논술 (오전)

[문제 1-1]
(가)와 (나)는 목표를 달성하는 상반된 방법을 보여준다. 두 가지 방법을 비교하시오. 글의 분량은 띄어쓰기를 포함하여 400(±100)자로 할 것. (25점)

[문제 1-2]
(가)의 목표 달성 방법이 지니는 문제점을 지적하고, 그에 대한 해결책을 (다)를 활용하여 제시하시오. 글의 분량은 띄어쓰기를 포함하여 400(±100)자로 할 것. (25점)

[문제 1-1]
　(가)는 적대적 경쟁의 방법을 예시한다. 모두 앉아서 영화를 보면 비록 앞사람에게 화면 일부가 가릴지라도 모든 사람이 충분히 영화를 감상할 수 있다. 그러나 그들 중 한 사람이 '나 혼자만' 잘살겠다는 생각으로 자리에서 일어서거나 의자 위에 올라가면 모든 사람들이 경쟁적으로 동조하게 되고, 결국 영화를 본다는 목표를 어느 누구도 달성하지 못한다.
　반면 (나)는 협동의 방법을 보여준다. 벼로 비유된 사회 구성원들은 서로 어우러지고, 서로에게 기대어 힘이 되어준다. 그들은 협동함으로써 외부의 억압이나 고난이라는 공동의 적에 당당히 맞설 수 있다. 벼 한 포기가 개별적으로 그러한 시련을 마주하였을 때는 쉽게 쓰러졌겠지만 서로 의지함으로써 고난을 견뎌내었다. 결국 타인과 협력하고 돕는 일은 나 자신의 목표 달성에도 도움이 되는 것이다. (411자)

[문제 1-2]

 (가)에서 영화관의 사람들은 개인의 성공만을 생각한다. 그들은 자신의 이익을 추구하면서 다른 사람보다 더 나은 위치를 차지하려 애쓴다. 그러나 이처럼 모든 사람을 적대시하는 경쟁 속에서는 모든 사람이 다 의자 위에 올라가서 결국 어느 누구도 영화를 제대로 감상하지 못하는 결과를 낳을 뿐이다.

 그러나 시야를 넓혀 다른 사람의 이익이 자신의 이익으로 이어질 수도 있다는 '구조적 협력'의 원리를 파악한다면 사태는 달라진다. 궁극적으로는 자신의 이익을 추구하더라도 다른 사람과 협력함으로써 이익을 함께 누리는 공동체가 될 수 있다. 예를 들어 조금씩의 불편함을 참으면서 모든 사람이 자리에 앉으면 다함께 영화를 감상할 수 있고, 키가 작거나 시력이 약한 사람들을 배려하여 앞자리에 앉게 하면 뒷사람의 불편함은 크게 감소될 수 있다. (406자)

[문제 2-1] ① (가)와 (나)가 지역주의 투표에 대해 주장하는 바에 대한 차이점을 기술하고, ② (가)와 (나)가 지역주의 투표를 바라보는 시각의 공통점이 무엇인가를 (다)를 통해 기술하시오. ③ <표>의 자료를 근거로, 21대 총선 당시 영남에서의 지역주의가 심화되지 않았다는 (나)의 주장의 타당성을 평가하시오. 글의 분량은 띄어쓰기를 포함하여 400(±100)자로 할 것. (25점)

[문제 2-2] ① <표>에서 21대 총선 당시 지역주의 투표가 영남과 호남 중 어떤 지역에서 더 강하게 나타났는가를 서술하시오. ② 영남민의 미래통합당에 대한 지지와 호남민의 민주당에 대한 지지의 특성이 어떻게 다른가를 <표>의 이념적 구성 차이와 지역주의 투표 정도를 통해 설명하시오. ③ 지역주의 투표는 증가해도 지역정당에 대한 차별적인 지지가 감소할 수 있는 이유를 19대 대선과 21대 총선 결과를 비교해서 설명하시오. 글의 분량은 띄어쓰기를 포함하여 400(+100)자로 할 것. (25점)

[문제 2-1]

 ① (가)에서는 민주당과 미래통합당이 각각 호남과 영남에서 얻은 차별적 지지를 근거로 21대 총선에서 영호남에서 지역주의가 심화되었다는 주장을 제기하였으나, (나)에서는 민주당이 영남에서 얻은 득표율을 19대 총선과 비교하여 지역주의가 심화되지 않았다고 주장한다. ② 그러나 (가)와 (나)는 지역주의 투표에서 지역주의적인 요소와 이념적 요소를 구분하지 않고, 두 지역민들이 자신의 지역 정당에 보낸 차별적 지지를 지역주의 투표로 본다는 점에서 공통적이다. ③ 21대 총선 당시 영남에서의 지역주의 투표 정도는 19대 대선 당시보다 증가하였고, 전체 기간의 지역주의 투표 평균보다도 더 높게 나타났다. 따라서 영남에서의 민주당 득표율이 약간 더 증가했기 때문에 지역주의가 심화되지 않았다는 (나)의 주장은 타당하지 않다는 것을 알 수 있다. (408자)

① <표>에 의하면, 21대 총선에서 영남과 호남에서의 지역주의 투표는 각각 13.5%p와 0%p로 나타났다. ② 이 결과에 의하면, 21대 총선에서 영남에서의 지역주의 투표는 매우 강했던 반면 호남민은 지역주의 투표를 하지 않은 것으로 나타났다. 이러한 결과는 영남민의 미래통합당에 대한 지지는 전적으로 지역주의 투표 때문에 초래된 반면, 호남민의 민주당에 대한 지지는 전적으로 이념적인 것이라는 사실을 의미한다. ③ 영남에서는 19대 대선에 비해 21대 총선에서 지역주의 투표는 6.4%p 증가했음에도 불구하고 지역정당에 대한 차별적인 지지가 1.2%p 감소했다. 그 이유는 19대 대선에 비해 21대 총선에서 영남에서 보수적인 유권자가 오히려 7.6%p 감소했기 때문이다. (387자)

8. 2021학년도 아주대 수시 논술 (오후)

[문제 1-1]

(가)와 (나)는 '홀로 있음'에 대한 상반된 입장을 보여준다. 두 입장을 비교하시오. 글의 분량은 띄어쓰기를 포함하여 400(±100)자로 할 것. (25점)

[문제 1-2]

(다)를 바탕으로 20대의 특성을 분석하고, 이에 대하여 (가) 또는 (나)를 근거로 옹호하거나 비판하시오. 글의 분량은 띄어쓰기를 포함하여 400(±100)자로 할 것. (25점)

[문제 1-1]

(가)는 '홀로 있음'의 긍정적 측면에 주목한다. 많은 사람이 '외톨이로 여겨지는 것'을 두려워하여 '홀로 있음'을 피하려 노력하지만 그것은 '홀로 있음'의 장점을 모르기 때문이라고 파악한다. '홀로 있음'을 통하여 타인의 눈치를 보거나 유행에 휩쓸리지 않음으로써 개성을 찾을 수 있고 진정한 자유를 누릴 수 있다는 것이다.

반면 (나)는 '홀로 있음'의 부정적 측면을 강조한다. (나)는 점차 각박해지는 현실 속에서 다른 사람과 어울려 지낼 때 생기는 피로감 때문에 '혼족의 시대'가 확산되었다고 진단한다. 이러한 추세가 계속되면 고독사 같은 부정적 사회 현상이 증가할 것이며, 개인 차원에서도 심리적인 부담이 커질 것이라 예상한다. 이런 부정적 측면을 경계하기 위해서라도 '함께'와 '더불어'의 가치가 폄하되어서는 안 된다는 것이다. (411자)

[문제 1-2]

(옹호)

최근 20대를 중심으로 다른 사람과 어울리기보다는 혼자만의 생활을 즐기는 '나홀로 문화'가 확산되고 있다. 설문조사에 의하면 혼자 행동하기 적합한 일에는 영화나 공연 관람, 쇼핑 등이 꼽히고, 혼자 하는 이유로 '내 취향껏 하고 싶은 것이 있어서'라는 답변 비율이 높은 것으로 보아 그만큼 자신의 개성을 중요시하는 20대의 특성이 반영된 것으로 볼 수 있다.

외톨이가 되지는 않을까 하는 두려움 때문에 다른 사람들의 눈치만 보다가는 정작 자신이 원하는 것, 자신에게 소중한 것을 놓치기 십상이다. 혼자 여행을 하거나 쇼핑을 하면 유행보다 개성을 따를 수 있고, 혼자 사색과 반성의 시간을 보내면 진정한 정신적 자유를 만끽할 수 있다. 외톨이라고 여겨질 때 생기는 부담감을 이겨내고 자기 자신의 개성과 자유를 존중하는 혼자 있는 시간이 중요해지는 시기이다. (421자)

(비판)

최근 20대를 중심으로 혼자만의 생활을 즐기는 '나홀로 문화'가 확산되고 있다. 설문조사에 따르면 혼자서 행동하는 가장 큰 이유는 '혼자가 편해서'였다. 즉 20대들은 다른 사람과 어울릴 때 생기게 되는 여러 가지 상황을 피곤하고 부담스럽게 여기는 것이다.

그러나 뭐든 혼자 해결하는 '혼족의 시대'는 필연적으로 고독감의 증가를 동반할 수밖에 없다. 우리 사회에는 어디에선가 도움의 손길을 기다리는 사람들이 있을 수밖에 없는데 그들에 대하여 무관심으로 지나쳐버리게 된다. 다른 사람에 대한 무관심의 증가는 비단 사회적 전체의 차원뿐만 아니라 우리 자신과 가까운 친구, 이웃에게도 영향을 미칠 수 있다는 점을 간과해서는 안 된다. 나홀로 문화가 확산되면서 주위에 대한 관심이 줄어드는 요즘, **'함께'와 '더불어'의 가치가 폄하되지 않도록 노력해야 한다.** (419자)

[문제2-1] (가)에서 "인종이 학생들의 SAT 성적에 영향을 미친다"는 주장과 "인종이 아니라 부모의 소득수준이 SAT 성적에 영향을 미친다"는 주장이 서로 충돌한다. ① 첫 번째 주장을 반박하기 위해 어떤 학생들을 서로 비교해서 어떤 결과를 얻어야 하는가? ② 두 번째 주장의 타당성은 어떤 학생들을 서로 비교해서 어떠한 분석결과를 얻을 때 뒷받침될 수 있는가? ③ (나)에서 "소방관이 많이 출동할수록 화재 손실이 커진다"는 주장에 무슨 문제가 있는가를 설명하시오. 글의 분량은 띄어쓰기를 포함하여 400(±100)자로 할 것. (25점)

[문제2-2] (다)의 "부자일수록 더불어민주당을 지지하고 가난할수록 자유한국당을 지지한다"는 신문기사 결론에 ① 어떠한 문제가 있는가를 (라)의 자료를 통해 지적하시오. ② (라)의 자료에도 불구하고 신문기사 결론이 타당하다는 주장을 뒷받침하기 위해 어떠한 사례들을 비교해야 하는가를 설명하시오. ③ (가)의 "인종이 학생들의 SAT 성적에 영향을 미친다"는 주장과 (나)의 "소방관이 많이 출동할수록 화재 손실이 커진다"는 주장과 (다)의 "부자일수록 더불어민주당을 지지한다"는 주장은 공통적으로 어떠한 문제를 가지고 있는가를 설명하시오. 글의 분량은 띄어쓰기를 포함하여 400(100)자로 할 것. (25점)

[문제 2-1]

① 인종이 SAT 성적에 영향을 미친다는 주장을 반박하기 위해서는 부모의 소득수준이 비슷한 백인과 흑인의 성적을 비교해야 하고, 이러한 비교 결과 백인과 흑인의 성적에 차이가 없을 경우, 인종이 SAT 성적에 영향을 미친다는 주장을 반박할 수 있다. ② 인종이 아니라 부모의 소득 수준이 SAT 성적에 영향을 미친다는 주장을 뒷받침하기 위해서는 같은 인종 사이에서 소득 수준이 높아질수록 SAT 성적도 높아진다는 결과를 얻어야 한다. ③ (나)에서 소방관이 많이 출동할수록 화재 손실이 커지는 것처럼 보이는 이유는 화재규

모가 클수록 소방관이 많이 출동하고 손실도 커지기 때문이다. 즉, 더 많은 소방관이 화재 손실을 키운 것이 아니라 화재규모가 크기 때문에 더 많은 소방관이 출동하였고 큰 화재 손실을 본 것이다. (399자)

[문제 2-2]

① (다)는 소득수준이 높을수록 더불어민주당을 지지하는 유권자의 비율이 높고 소득수준이 낮을수록 자유한국당을 지지하는 유권자의 비율이 높다는 여론조사 결과를 보여주었다. 그러나 (라)는 소득수준이 높은 연령층일수록 민주당을 지지한다는 사실을 보여준다. 따라서 민주당을 더 지지하는 이유가 소득수준 때문인지 연령 때문인지 구분하기 어렵다. ② 신문기사 주장을 뒷받침하기 위해서는 같은 연령층에서 소득수준이 높을수록 민주당을 지지할 가능성이 높다는 사실을 보여주어야 한다. ③ 세 주장의 공통점은 피상적인 상관관계를 인과관계로 제시한다는 것이다. 첫 번째 주장에서는 인종을, 두 번째 주장에서는 소방관의 수를 세 번째 주장에서는 소득수준을 원인으로 제시하였으나, 실제로는 다른 이유(변수)들이 결과(종속변수)에 영향을 미쳤을 수 있다. (411자)

9. 2021학년도 아주대 모의 논술

[문제1-1] (가)의 관점을 적용하여 (나)의 '나'와 (다)의 '우리'가 처한 상황을 비교하시오. 글의 분량은 띄어쓰기를 포함하여 400(±100)자로 할 것. (25점)

[문제1-2] (가) 또는 (나)를 참고하여 (다)의 '방살이'가 지닌 문제점을 분석하고, 그것을 극복하는 방법을 서술하시오. 글의 분량은 띄어쓰기를 포함하여 400(±100)자로 할 것. (25점)

[문제 1-1]

(나)에서 '나'는 명절날 모인 친척들과 어울려 지내면서 가족 공동체에 대한 강한 소속감을 느끼고 있다. 흩어져 있던 가족 구성원들이 명절을 즐기기 위하여 함께 모인 합일의 공간에는 맛있는 음식 냄새와 새 옷 냄새가 풍기고, 어른들의 웃고 이야기하는 소리, 아이들끼리 놀고 다투는 소리로 가득하다. 이러한 냄새와 소리는 따뜻한 인간적인 정과 기쁨을 표현한다.

반면 (다)에서 '우리'는 마치 고립된 섬 같은 방에서 혼자 살아가면서 공동체에 소속감을 상실한 채 고독감을 느끼고 있다. 우리는 높은 집값과 부족한 경제적 여력 때문에 온전한 집이 아닌 방으로 여겨지는 주거 공간에서 살아가는 '방살이'에 내몰린다. 이는 성인으로서 자신의 삶에 책임을 지고 자유로운 생활을 누린다는 장점도 있지만, 혼자서 지내는 상황의 특성상 외부 세계와의 정신적 고립으로 인해 견딜 수 없는 고독감에 시달리기도 한다. (445자)

[문제 1-2]

> (가)에 따르면 인간에게는 생리적 기본 욕구 못지않게 외부 세계와 관계를 맺고자 하는 욕구, 즉 고독을 피하려는 욕구가 중요하다. 그런데 경제적인 여건 때문에 좁은 방에서 남들과 고립된 채 지내는 '방살이'를 지속하다 보면 타인과 교감한다는 느낌이나 공동체에 대한 소속감을 느끼지 못하게 되고 이것이 심해지면 정신적 고독으로 이어질 수도 있다.
>
> 방살이에서 늘어가는 고독감을 줄이기 위해서는 자발적으로 다른 사람들과 연대하는 일을 의식적으로 추구할 필요가 있다. 가령 같은 원룸 건물에 사는 사람들과 서로 얼굴을 익히고 인사를 한다거나, 무언가를 공유할 수 있는 작은 모임을 조직해서 사람들끼리 접촉하는 기회를 늘리는 일들이 그런 연대의 출발점이 될 수 있을 것이다. SNS를 활용하여 같은 건물이나 동네에 사는 사람들과 연락을 주고받으며 각자 살아가는 소소한 일상을 공유하는 일도 고독을 극복하는 한 가지 방법이 될 수 있다. (462자)

[문제 2-1]

(가)에서 캘리포니아 주립대학이 여성차별적인 선발을 했다는 주장의 타당성을 평가하고, 평가의 근거를 뒷받침하는 관찰결과를 제시하시오. (나)에서 신석절제술이 더 효과적이라는 주장의 타당성을 평가하고, 평가의 근거를 뒷받침하는 관찰결과를 제시하시오. (가) 사례와 (나) 사례의 공통점은 무엇인가를 기술하고, 두 사례가 자료해석에 어떠한 점을 유의해야 하는가에 대해 말하는지를 설명하시오. 글의 분량은 띄어쓰기를 포함하여 400(±100)자로 할 것 (25점).

[문제 2-2]

(가)에서 전체 학생들의 집합자료가 보여주는 바가 각 학과의 세부자료가 보여주는 바와 다른 이유를 설명하시오. (나)에서 전체 환자들의 집합자료가 보여주는 바가 환자의 증세에 따른 세부자료가 보여주는 바와 다른 이유를 설명하시오. 글의 분량은 띄어쓰기를 포함하여 400(±100)자로 할 것 (25점).

[문제 2-1]

> (가)에서 캘리포니아 주립대학은 여성차별적인 선발을 했다고 보기 어렵다. 전체 자료를 보았을 때 남성의 합격률이 더 높은 것 같아도 6개 학과의 합격률을 비교해보면 C와 E학과를 제외한 4개 학과에서 여학생의 합격률이 더 높다.
>
> (나)에서 신석절제술이 개복수술법보다 더 효과적이라고 보기 어렵다. 전체 자료를 보았을 때 신석절제술이 개복수술법보다 더 효과적인 것 같아도 두 방법의 효과를 환자의 증세별로 살펴보면 환자의 증세와 상관없이 개복수술법이 더 효과적이다.
>
> (가)와 (나)의 공통점은 전체자료가 보여주는 상관관계가 세부자료가 보여주는 상관관계와 다르다는 것이다. 따라서 전체자료에 대한 피상적인 관찰로부터 섣불리 인과관계를 도출해서는 안 되며, 세부자료를 통해 더 심층적인 분석을 할 필요가 있다. (396자)

  (가)의 집합자료에서 여학생이 합격률이 남학생보다 더 낮게 나타난 이유는 남학생들이 여학생에 비해 경쟁이 약한 (합격률이 높은) 학과에 더 많이 지원했기 때문이다. 즉, 여학생보다 훨씬 더 많은 남학생이 경쟁이 약한 학과(A와 B)에 주로 지원했고 이 학과들이 매우 많은 남학생들을 선발했기 때문에 전체 합격률이 높아지게 된 것이다.
  (나)의 집합자료에서 신석절제술의 성공률이 더 높게 나타난 이유는 의사들이 치료가 어려운 중증환자에게 개복수술법을 더 많이 사용했고 치료가 쉬운 경증 환자에게 신석절제술을 더 많이 사용했기 때문이다. 즉, 의사들이 경증환자에게 주로 신석절제술을 사용했는데, 경증환자의 치료가 쉽기 때문에 집합자료에서는 신석절제술의 치료성공률이 더 높게 나타난 것이다. (384자)

10. 2020학년도 아주대 수시 논술

[문제 1-1]
(가)와 (나)는 인간 사회에서 이루어지는 감시의 형태에 대해서 쓴 글이다. (가)와 (나)의 감시의 특징의 차이점을 모두 찾아 대비하여 설명하시오. 글의 분량은 띄어쓰기를 포함하여 400(±100)자로 할 것 (25점)

[문제 1-2]
(다)에 나타나는 감시를 (가)와 (나)의 감시의 특징을 적용하여 설명하고, (다)에서 유추할 수 있는 전자감시사회의 문제점을 설명하시오. 글의 분량은 띄어쓰기를 포함하여 400(±100)자로 할 것 (25점)

[문제 1-1]
  (가)와 (나)는 모두 감시가 일어나는 상황에 대해서 설명하고 있다. (가)에서는 특정한 물리적 공간에 한정해서 감시가 이루어지지만, (나)에서는 전자기기를 사용하여 언제 어디서든 감시가 가능하다. (가)에서 감시자와 감시대상은 엄격히 구별되어 있고 감시자가 감시대상을 일방적으로 감시하는 데 비해, (나)에서는 감시자와 감시대상이 수시로 바뀔 수 있고, 감시는 상호적으로 이루어진다. (가)에서는 권력을 가진 소수가 다수를 감시하지만, (나)에서는 권력을 가진 소수가 다수를 감시하기도 하고 다수가 소수의 권력자를 감시할 수도 있다. (가)에서 감시자는 감시대상의 행동을 직접 관찰하며 감시하지만, (나)에서 감시는 축적된 정보를 바탕으로 하여 간접적인 형태로 이루어진다. (가)에서 감시대상은 고립되어 있고 정보를 전달할 수 없는 반면, (나)에서는 감시대상이 고립되지 않고 정보를 교류할 수 있고, 여론을 형성할 수도 있다. (464자)

[문제 1-2]
  (다)에서 감시자와 감시대상은 엄격하게 구별되어 있다. '그들'이라고 표현되어 있는 권력이 감시대상인 '그'를 일방적으로 감시하고 있다는 점에서 (가)의 감시 상황과 유사하다. 그러나 '그들'은 '그'를 감옥에 가두고 직접 관찰하는 것이 아니라 '그'에 관해 축적된 정보를 바탕으로 간접적으로 감시하고 있다는 점에서 (나)의 감시 형태를 띠고 있기도 하다.

(다)에서 감시 결과 축적된 정보들은 해진 손수건이나 낡은 재킷 같은 개인의 소지품이나 차를 마시고 책을 대출받는 등의 사소하고 일상적인 행위들, 그가 쓴 서정시들이다. 전자 감시사회에서는 이처럼 언제 어디서든지 개인이 일상생활에서 하는 활동까지 감시하여 정보로 축적하고, 그것을 개인을 통제하는 수단으로 사용한다. 즉 정보를 이용하여 감시와 통제가 이루어지는 것이 문제점이다. (411자)

[문제 2-1]
- 대통령제와 의원내각제에서 행정부-입법부 관계의 차이가 권력 집중과 어떻게 연관되어 있는가를 (가)를 통해 설명하시오.
- 대통령제와 의원내각제에서의 권력 분산방식을 (나)의 "제도적 거부권 행사자"와 "정파적 거부권 행사자"라는 개념을 사용해서 설명하시오.
  글의 분량은 띄어쓰기를 포함하여 400(±100)자로 할 것 (25점)

[문제 2-2]
- 양당제 국가에서 대통령에게 권력이 집중된 문제를 의원내각제를 통해 해결할 수 있다는 주장을 (나)의 내용을 통해 평가하고, 대통령 권력 집중 문제를 해결하는 데 의원내각제와 순수한 대통령제 중 어떤 정부형태가 더 적합한가를 설명하시오.
- 정부형태와 정당체제가 어떻게 조합될 경우 권력 집중을 가장 약화시킬 수 있는가를 (나)의 "제도적 거부권 행사자" 및 "정파적 거부권 행사자" 개념을 사용해서 설명하시오.
  글의 분량은 띄어쓰기를 포함하여 400(±100)자로 할 것 (25점)

[문제 2-1]
　대통령제에서 행정부와 입법부는 서로 독립적이고 의원내각제에서는 서로 의존적이다. 대통령제에서 입법부는 행정부를 불신임할 수 없고 대통령도 입법부를 해산할 수 없기 때문에 독립적으로 상대를 견제할 수 있다. 반면 의원내각제에서 입법부는 행정부에 대해 불신임을 결의할 수 있고 행정부는 입법부를 해산할 수 있다. 의원내각제에서 입법부와 행정부는 자신의 생존을 상대에게 의지하기 때문에 독립적으로 상대를 견제하기 어렵다.
　대통령제에서는 서로 독립적인 입법부, 행정부, 사법부라는 제도적 거부권 행사자가 상대를 견제하므로 권력이 분산된다. 입법부와 행정부가 서로 의존적인 의원내각제에서는 행정부가 다수당의 지도부로 구성되므로 제도적 거부권 행사자들의 상호 견제가 어렵다. 따라서 의원내각제에서는 정파적 거부권 행사자 수를 증가시켜 권력을 분산시킨다. (414자)

[문제 2-2]
　양당제 국가의 대통령 권력집중 문제를 의원내각제로 해결할 수 있다는 주장은 타당하지 않다. 권력이 대통령에 집중된 양당제 국가에서 의원내각제를 채택하면 행정부 수반에 권력이 집중되므로 제도적 거부권 행사자의 수가 줄어든다. 따라서 양당제 국가의 대통령 권력을 약화시키기 위해서는 의원내각제보다 제도적 더 많은 거부권 행사자를 가진 순수한 대통령제가 더 적합하다.

정부형태와 정당체제는 거부권 행사자 수에 영향을 미친다. 대통령제는 의원내각제에 비해 제도적 거부권 행사자의 수가 많고, 다당제는 양당제에 비해 정파적 거부권 행사자 수가 많다. 제도적 거부권 행사자와 정파적 거부권 행사자의 수가 증가하면 권력은 분산된다. 따라서 권력집중을 가장 약화시킬 수 있는 정치제도는 다당제 하의 순수한 대통령제이다. (393 자)